DANIEL MOUHTAR

RELATOS VENEZUELA

¡HAY MUCHO QUE CONTAR!

PRÓLOGO DE

LAUREANO MÁRQUEZ

CNR- 000033-2017
Compilador y Creador: Daniel Mouhtar
Primera Edición: 2017

Editor en Jefe: Andrea Vivas Ross
Corrección: Andrea Vivas Ross
Diseño Gráfico: Fernanda Figuera Ulloa
Ilustración de portada y contraportada:
Miguelángel Martínez-Ruetter

Página Web: Himad Mouhtar (@webtasy)
www.relatosvenezuela.com

paquidermo
libros

Producción Independiente:

ISBN 978-8-46-974960-9

DEDICATORIA

A los cientos de venezolanos que participaron
y creyeron en este proyecto desde el principio,
a los de aquí y a los de allá.

A cada soñador, a cada valiente, a cada corazón
tricolor que late desde cualquier frontera.

A todos los que empacamos el país
en alguna maleta.

Para todos los venezolanos de bien.

A la gangrena nacional no, ***a esos no****.*

AGRADECIMIENTOS

A cada valiente relator por atreverse a escribir sus experiencias desde el anonimato, espero poder conocerles algún día. ¡GRACIAS!

Al arte de cada ilustrador, al amor que nace de cada trazo y la pasión con que compartimos este proyecto.

A Andrea Vivas, editora de este libro, gracias por tu paciencia y compartir mi pasión todos estos meses.

A mis padres por ser mi referencia, mis pilares.

A mis hermanos, Himad y Samer, sin su apoyo no hubiese podido.

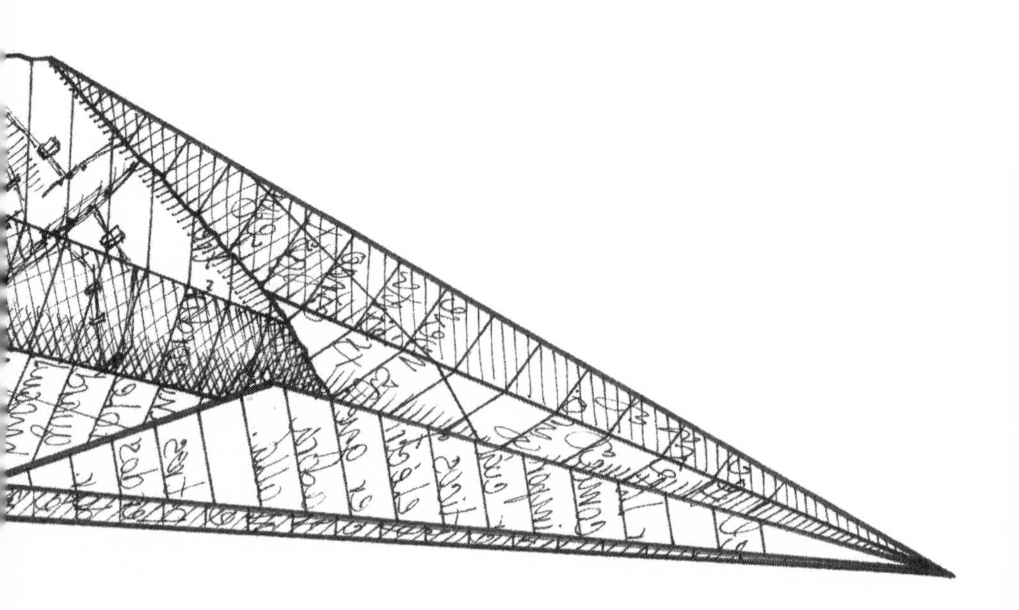

COLABORADORES

Jorge Luis Torrealba
(Ilustraciones páginas: 34, 52, 105, 135)
Fernando Pinilla (Ilustraciones páginas: 41, 86)
Víctor Pérez (Ilustraciones páginas: 45, 175)
Laura Pereda (Ilustraciones páginas: 66, 214)
José Luis León (Ilustraciones páginas: 71)
Eduardo Sanabria (Ilustraciones páginas: 75)
Kevin Quiroz (Ilustraciones páginas: 91, 221)
Miguelángel Martínez-Ruetter
(Ilustraciones páginas: 99, 165, 205, 233, 244)
Arianna León Uberti (Ilustraciones páginas: 110, 239)
Simón Bustamante (Ilustraciones páginas: 114, 169, 190)
Raquel Colmenares Ross (Ilustraciones páginas: 122)
Valentina Maggi (Ilustraciones páginas: 141)
Vanessa Iacono (Ilustraciones páginas: 145, 182)
Gabriela Nava (Ilustraciones páginas: 150)
Franklin Paz (Ilustraciones páginas: 156, 195)
Norella Monsalve (Ilustraciones páginas: 199)
Ciro Andrés Márquez (Ilustraciones páginas: 211)
Therliz Nava (Ilustraciones páginas: 224)
Eduardo Elías Quijada (Ilustraciones páginas: 229)

Cuatro Por Venezuela
Foundation

Un porcentaje de las ventas del libro irá destinado a la ONG www.cuatroporvenezuela.org para contribuir con el aporte de insumos médicos a Venezuela.

PRÓLOGO

Casi tres millones de venezolanos han abandonado Venezuela en los últimos 18 años. Se trata —con mucho— de la estampida más grande de nuestra historia. En el siglo XIX, un episodio conocido como "La emigración a oriente" también registró la huida de miles de habitantes de la ciudad de Caracas rumbo al oriente del país, ante la inminente llegada de uno de los más crueles caudillos de la guerra de Independencia, el asturiano José Tomás Boves. Del resto, Venezuela ha sido, por el contrario, un país receptor de inmigrantes, europeos —inicialmente— y del resto del continente más tarde. Hemos sido, para el mundo, tierra de horizontes abiertos y, para el resto del continente, espacio de libertad en tiempos de dictadura; para los que huyeron de la guerra, nuevo punto de partida para retomar la plenitud de la vida en medio de la exhuberancia del trópico.

Venezuela es una nación privilegiada, como en la célebre canción de Herrero y Armentero, tan emblemática para nuestros corazones en estos tiempos, somos "desierto, selva, nieve y volcán". Para un venezolano vivir lejos de su patria es una suerte de castigo. No es casual que durante los períodos de dictadura el exilio haya sido siempre la pena con la que se condenó al hombre de bien, al justo de Vargas que soñaba un país de libertad y justicia. La terrible tragedia en la que Chávez hundió a la nación regó a los hijos de Venezuela por el mundo, al punto que ya hablamos comúnmente de la "diáspora venezolana", rememorando el episodio judío.

Civilización y barbarie han estado siempre en pugna a lo largo de dos siglos de historia republicana. Silenciosa y discretamente, la civilidad ha ido haciendo su trabajo. Por ello, frente a la brutal crueldad con la cual concluye el experimento trágico de la "revolución bolivariana", una fuerza civil de letras y cultura, de ciencia y saber, se reconstituye para los tiempos florecientes que, sabemos, han de venir.

Dentro y fuera de Venezuela, ciudadanos honestos luchan de múltiples maneras por el país que avizoran y anhelan. Lo hace cada uno en lo suyo, adquiriendo experiencia, conocimiento, disciplina y determinación. Este libro cuenta las historias anónimas de esos venezolanos que en este tiempo han tenido que irse a lugares remotos y fríos, llevando en sus maletas solo "paisajes y sueños". Son historias duras que merecen la pena contarse para ayudarnos a todos a fortalecer la certeza de que vendrán tiempos buenos de justicia, democracia y libertad. Son historias anónimas porque Venezuela vive —¡nuevamente!— tiempos de dictadura, que en esta oportunidad ha dado muestras de especial saña y crueldad.

Daniel Mouhtar se dio a la tarea de recopilar estas historias a las que puso por título "Relatos Venezuela" y vienen de la pluma de sus propios protagonistas. Los tiempos difíciles deben ser documentados para que la memoria colectiva persista, para que no vuelvan a repetirse, pero también para animarnos y saber hasta dónde podemos llegar. Para reconocernos como gente de talento que se abre paso en el mundo. Daniel señala que este proyecto se transformó en una suerte de "terapia colectiva". Quizás el país entero necesita terapia de recuperación como un paciente luego de un accidente. Parte de esa terapia es recuperar el orgullo de ser venezolanos, entender algo de nosotros mismos que parece no hemos asumido aún: Venezuela no es un país extraordinario porque tiene ríos caudalosos, llanos inmensos, picos nevados, médanos, selvas y playas que son una hermosura. Venezuela es un país maravilloso porque tiene venezolanos, esa es nuestra riqueza fundamental y no el petróleo del subsuelo. Este libro trata sobre la diversidad de esa riqueza. Ojalá le ayude a usted, querido lector, a mantener vivo el orgullo de ser venezolano.

Y a los venezolanos que andan "por estos mundos de Dios" que sepan que en casa se les extraña y se les espera.

LAUREANO MÁRQUEZ P.

"Hay mucho que contar y hay pocos que lo saben".

DANIEL MOUHTAR

INTRODUCCIÓN

Los venezolanos siempre habíamos estado acostumbrados a recibir. Aprendimos a integrarnos y fuimos el país de los sueños para aquellos que ya no lo conseguían en su tierra... pero el país que hoy conocemos ya no recibe sueños, los deja ir. Ya son millones que han dejado su espacio, que han dejado sus aromas, amistades, amores y desamores. Son millones los embajadores de nuestra cultura, de nuestras raíces tricolor. Esta experiencia cambió nuestro destino y tiene que enseñarnos que un país es lo más propio que se tiene.

Relatos Venezuela busca mostrar la realidad que le ha correspondido vivir a nuestra generación. No es un proyecto más de estadísticas migratorias sino una compilación que cuenta, desde el anonimato de cada protagonista, historias que se convierten en un gran relato, el cual representa la oleada migratoria más dramática de nuestros tiempos. Experiencias y vivencias de venezolanos en el exterior que, por diferentes causas, decidieron aprovechar los mejores años de sus vidas para ir tras sus sueños en tierras ajenas... tierras que han abierto sus puertas como lo hicimos los venezolanos en el siglo XX.

La diversidad y particularidad en cada historia hace de este proyecto una lectura nutritiva, increíblemente sensibilizadora de una realidad que pocos conocen con detalle. El objetivo de estos relatos es plasmar la realidad y darla a conocer, contribuir a eliminar el mito: "Emigrar es sinónimo de bienestar sin mucho esfuerzo y de indolencia con el país dejado".

¿Cierto o falso?

Cada historia tiene la respuesta, cientos de historias dibujadas sobre un mismo lienzo: la nostalgia, la esperanza, el éxito y el amor. Tengo que confesar que desde el inicio del proyecto, la honestidad y pasión que ha puesto cada relator me ha sensibilizado aún más; poder entrar en la vida de tantas personas desconocidas y conocer cada detalle me ha hecho entender que el objetivo de nuestra vida es la felicidad, independientemente del concepto que cada quien quiera darle. ***Relatos Venezuela*** se desarrolla desde el anonimato de cada relator, venezolanos en todas partes del mundo que, a través de www.relatosvenezuela.com, han contado sus vidas, se han desahogado porque, sin querer, esto ha sido una especie de terapia colectiva incluso para aquellos que viven en Venezuela. Historias que van desde el exilio forzado, la prisión, la represión, el psicoterror del gobierno venezolano hasta la enfermedad, el amor en otras latitudes y el éxito de aquellos que han sabido alcanzarlo, porque los venezolanos también hemos sido capaces de lograr grandes cosas y dejar el nombre del país en alto.

Este portal, esta ventana donde todos nos hemos comunicado y hemos relatado historias tan similares, sin darnos cuenta es ahora un libro que pretende perdurar para las próximas generaciones, una lectura reparadora e inspiradora que le enseñe a los venezolanos que hoy nacen en Venezuela y los que nacen en otras fronteras, con otras banderas y otro idioma, que esta generación se vio obligada a huir, que teníamos un país maravilloso y que sea cada historia un aprendizaje para que sistemas políticos como el que vive nuestra región no se vuelvan a repetir más nunca en nuestra historia. El objetivo es enseñar, es aprender.

Nunca pensé que pertenecer a un sitio en particular fuese algo de relevante influencia en mi vida, particularmente para mí que crecí entre dos culturas. Ser un poco de aquí y un poco de allá, tener familia aquí y familia allá. Es que, estando allá, en nuestro espacio natural, el sentido de pertenencia es algo casi imperceptible, yo diría que es un sentimiento ciego, sutil, que casi nunca se manifiesta. "Soy de aquí" no tiene el mismo peso en cada milímetro de sus letras que decir "Soy de allá".

El "Soy de allá" implica distancia, es una frase que eriza la piel, despierta la memoria y expresa en el rostro del desafortunado la más evidente expresión facial de la ingobernable nostalgia o del pretencioso orgullo. Ahora, no todo aquel que decide alejarse siente que este melodrama sea algo presente en su vida. A muchos otros el "Soy de allá" es una frase que intentan no repetir, no sentir, no dejar que les invada las raíces sentimentales más primitivas. Y es que cada historia es una odisea con matices distintos, colores variados o, simplemente, en blanco y negro... para unos más blanco y para otros más negro.

En los últimos años se ha generado un debate producto de la masiva oleada migratoria de venezolanos alrededor del mundo. Un debate lógico, necesario, pero muchas veces irracional y vinculado profundamente a los sentimientos más condensados y establecidos en nuestra sociedad polarizada, producto de la cosa política de los últimos años. Un debate que enfrenta el nacionalismo y patriotismo, el ideal y la lucha con la vida y el futuro de millones de personas. ¿Cómo puede un debate fanático progresar cuando las opciones en discusión son tan alejadas de lo racional y lo congruente? Si este debate se produjera en medio de una situación bélica — entendiendo bélico como situación de guerra declarada y establecida entre dos bandos— o en el marco de los años más trágicos para la humanidad durante el siglo XX, fuesen más claras y justificadas las razones que defienden los puntos de vista más polarizados de esta discusión. Sin embargo, establecer este debate en pleno siglo XXI donde el mundo cada día genera más conexiones, donde el avance social se dirige cada vez con más claridad hacia el respeto y la igualdad, la tolerancia y la aceptación, la cultura diversa y la globalización, es algo que exige empatía, conocimiento de la realidad y claridad en el panorama para no caer en teorías erradas.

¿Cómo puede alguien ser tan atrevido en concluir con una única opinión sobre las causas y las razones de aquellos que, en los ojos de algunos, «tiraron la toalla»? Peor aún, hay que ser muy atrevido al opinar que dejar lo que has logrado, cambiar tus espacios, tus aromas, tus amores y tus amistades pero, sobre todo, dejar la paz que genera el pertenecer a algo desde el primer bocado de aire, es un mero hecho de comodidad adaptativa. Yo no tengo la habilidosa capacidad de opinar quién es el valiente y quién es el cobarde, yo solo veo sueños frustrados queriendo ser alcanzados, esperanzas anémicas queriendo seguir vivas y palpitantes, veo la desilusión actuando a su antojo en la vida de aquellos que se niegan a rendirse. ¿Cómo puede alguien pedirle a un joven que ha crecido en esta época, bajo la sombra de un mismo gobierno sin punto de comparación, indistintamente de su condición y realidad social, que se acostumbre a ver cómo sus objetivos más básicos de vida son menos visibles, más borrosos y lejanos?

Entender la realidad de esta etapa de nuestra historia como nación es indispensable para avanzar en el futuro. Es vital conocer a detalle hasta dónde puede llegar el deseo de vivir en paz, hasta dónde es capaz de llegar nuestra mente y nuestro cuerpo cuando se nos expone a condiciones de supervivencia hasta ahora desconocidas para muchos de nosotros. No exagero al usar esta palabra, aunque no tenga el mismo contexto que el usado para describir las épocas más primitivas de la humanidad, pero en Venezuela la supervivencia se acerca bastante a ese panorama prehistórico. La lucha diaria por comer, por ser curado y seguir vivos ante las armas de los jóvenes nacidos en "revolución" que engloban las estadísticas de delincuentes en nuestro país es, sin duda, una situación de estrés crónico al que millones son sometidos a vivir hasta el punto de no percibirlo por la misma costumbre.

Evidentemente, los venezolanos no somos los primeros en vivir una oleada impetuosa de migración en tan poco tiempo. Fuimos el país de los sueños por décadas para ciudadanos de todo el mundo; Venezuela fue, durante muchos años, la competencia del "Sueño Americano", fue en mi país donde muchos pudieron lograr sus sueños. Como buen entendedor de la historia es básico saber que esta suele ser cíclica y tiende a ser repetitiva en muchos aspectos, lo que empieza se acaba y lo que empeora mejora, aunque dentro del carril del avance global, algunas naciones siguen sufriendo grandes retrocesos. Comprender y aprender sobre este ciclo va a ser necesario para entrelazar cada aspecto de la historia y así crear una opinión lo más cercana posible a la realidad, opinión que va a definir nuestra conducta y decisiones en un futuro próximo, ya sea dentro de nuestras fronteras o donde hayamos decido estar.

Desde aprender a elegir bien aquellos que pretendan dirigir los destinos de la nación hasta alcanzar un nivel de empatía capaz de conciliar nuestras diferencias y poder avanzar. La verdad es necesaria, es estrictamente necesaria y todos debemos contribuir a darla a conocer, sin miedos, sin prejuicios. Los cambios profundos siempre han tenido de por medio la verdad o la mentira como herramienta de dominación, ya sea pasiva o activa y es nuestra responsabilidad conocerla y difundir aquello que pueda hacernos crecer, por muy duro que sea. En nuestras manos está dejar que sea la mentira la que impere en nuestra historia o que sea derrotada y reine la verdad. Yo apuesto por la última.

MI HISTORIA Y DE CÓMO NACIÓ ESTE PROYECTO

Ya tenía varios años fuera de Venezuela, nada distinto a la mayoría. En febrero de 2016, por cuestiones del destino, me tocó mudarme a Gran Canaria, confieso que unas horas antes de volar a la isla me enteré sobre su localización... Fue una mudanza fugaz por una oferta de trabajo. Esa misma noche que llegué y me acomodé en una habitación alquilada, decidí salir a dar un paseo, básicamente a conocer un poco la zona porque no conocía a nadie, estaba empezando de cero una vez de tantas veces en los últimos años. Parecía ser una ciudad acogedora, me venía a la mente imágenes de La Habana a la cabeza, sus casas y estructura tenían cierto toque habanero. Me sentía bien por conseguir, finalmente, un empleo que pudiera mejorar mis condiciones de vida, pero también una sutil tristeza me abrazaba, otra vez desde cero, otra vez a conocer nuevas personas, nuevas calles, nueva vida, otra vez a sonreír y a demostrar.

Después de unos minutos caminando, llegué a una zona donde había varios bares con sillas a las afueras en esa noche despejada. Pedí una cerveza como excusa para sentarme un rato a contemplar el entorno, a escuchar el acento tan parecido al nuestro, a pensar. Saqué el celular, ese que en un instante me lleva a otros sitios, me aleja de la realidad y, como buen dependiente de él, empecé a indagar, a ver lo que sea que pudiera amenizar mi cita con esa cerveza. Empecé a conversar con varios amigos por el chat de Facebook, ese que era ya una mezcla multicultural de todo aquel que había conocido en algún momento de mi vida. Ante la mirada curiosa de los que ahí se encontraban al verme solo en ese bar de amigos y grupos, empecé a escribirle a uno de mis amigos venezolanos en España. Él me contaba, en un momento de desesperación, que extrañaba mucho su vida de antes, que todo cambió tan rápido que apenas se daba cuenta de dónde estaba y me dijo una frase que despertó esta especie de necesidad absurda de dar a conocer la realidad de tanta gente:

— Si nos juntáramos todos los que hemos emigrado y contásemos lo jodido que es, sonaría como un coro de iglesia.

Esa frase me pareció tonta, absurda y sin sentido, no todos hemos vivido lo mismo, no todos la hemos pasado mal pero después, analizándola mejor, me pareció ciertísimo. Los que decidimos, por cualquier razón, dejar nuestra zona de confort tenemos una especie de lienzo en blanco en común sobre el cual se dibuja la particularidad de cada historia. Esa misma noche tuve una conversación similar con una decena de amigos que están en distintas partes del mundo y fue tal cual como ese lienzo en blanco que me imaginaba y que se dibujaba perfectamente con cada historia. Si hubiese seguido indagando como cualquier doña de esquina, iba a seguir viendo el mismo resultado. Satisfacción por lograr establecer una vida nueva, pero nostalgia de esa que tarda unos meses en tocar la puerta de la nueva vida; nostalgia que llega en los momentos de estabilidad y se convierte en el principal cómplice del deseo de retorno en los momentos más duros. Ansiedad por lograr lo que se ha venido a lograr, sueños en pleno diseño, éxitos en pleno goce y tristezas que terminan siendo el trampolín para internarlo una vez más.

Cuando algo concuerda tanto y pocos lo conocen, es una buena oportunidad para hacer de miles de relatos un mismo cuento. No sabía si sería un cuento alegre o triste, no sabía cuál final tendría, ni quiénes serían los protagonistas, pero sí sabía claramente cuál era el objetivo... que nuestra historia como sociedad sea conocida y deje una lección, un aprendizaje para que las próximas generaciones saquen el mayor provecho posible sin la necesidad desgastadora de repetir lo que no ha funcionado ni va a funcionar: la dominación de una sociedad, el fanatismo cegado y las ideas trasnochadas que siguen aspirando a demostrar lo que nunca se ha podido demostrar como modelo ideal de sociedad. En un futuro, cuando comencemos a considerar regresar a Venezuela — aunque ahora estés pensando que no— todo nuestro esfuerzo como sociedad se va a concentrar en no permitir que una desgracia de esta envergadura vuelva a ocurrir. Nos vamos a enfocar en enseñarle a nuestros hijos y nietos lo que significó para millones "Dejar el pelero" y buscar, en latitudes ajenas, los sueños que fueron devorados por la gangrena criolla.

Antes de publicar la idea de este proyecto (como mal estratega), me permití pedirle a unos cuantos amigos que escribieran lo que más influencia ha traído a sus vidas el dejar Venezuela y fue realmente tanto lo que influyeron en mí esos relatos que decidí seguir. Creo que vale la pena que todo aquel que desee conocer el significado de dejar lo que se pensaba como vida cotidiana, lo pueda hacer leyendo directamente a los protagonistas. Estos que no tienen rostro, nombre o dirección. Protagonistas que escriben desde el anonimato porque cuando una historia es interesante no importa saber quién la escribió, importa qué tan influyente sea, importa lo mucho que pueda ejercer en la vida de otros, en la visión y certeza de la realidad. Pasaron los días y, como obra del destino, fueron pasando cosas que tal vez solían pasar pero ahora la atención que dedicaba, luego de esa noche en el bar en Las Palmas, era mayor. En un supermercado, luego de que mi acento levantara la mirada de algún extraño y me hiciera alusión de que éramos compatriotas, conocí a una venezolana que yo la catalogaría en el grupo de "Los venezolanos del sexto sentido", es ese raro espécimen que emigró por 1995, anticipándose a una época de anarquía y desastre nacional.

Seamos honestos, el que emigraba en 1995 tenía razones muy particulares, formaban parte de la media de latinoamericanos que decidían irse de sus países a Europa o a EEUU. Así le pasó a Miriam que conoció a un alemán en Margarita, él era ya un señor entrando en edad y ella una mujer un tanto amargada con los desaciertos que la vida noventera le había brindado. Miriam se fue por amor aunque, por la forma en la que cuenta resumidamente su historia, me transmitió que fue más un amor conveniente, de esos amores cerebrales y no hormonales:

— Siempre me dicen que tuve suerte de salir de Venezuela antes de que todo este desastre tan siquiera empezara. Para mí, que me fui en la Venezuela del 95, ya hoy puedo decir que no pesa, lo que siempre voy llevar conmigo, como una especie de sobrepeso en mis pasaportes, es el aceptar que no soy de aquí y ya tampoco soy de allá.

Fue una conversación de poco más de diez minutos, parecía que esa dama entrada en edad tenía ganas de hablar y, por alguna razón, entabló una conversación íntima de entrada con este desconocido en aquel supermercado.

Una vez establecido en un apartamento compartido con varias personas, conozco a Tomás, un chamo venezolano de mi edad con quien pude conversar muchas veces sobre detalles de su vida antes de irse del país y, nuevamente, una historia interesante llegaba a mí, sin indagar, sin preguntar. Tomás y, su ahora esposa, Julia tenían ya 9 años de novios, ellos estudiaron juntos la carrera y tenían un amor de esos en fase "acostumbrada". Ella es española por su abuelo y él es de Catia por su madre. Tomás entendió con claridad eso que entienden los que viven de un quince y último en Venezuela, comprendió durante su visión y planificación de vida a futuro que tenía que ahorrar durante 158 años, sin gastar un duro para poder comprar una casa en la Venezuela del 2015.

— Nunca fue un anhelo para mí vivir en otro país. Yo recuerdo una infancia muy feliz, humilde pero feliz. Creo que el momento que marcó un antes y un después fue la muerte de mi amigo Roberto, lo interceptaron en la cota mil para robarle el carro, fue terrible sentir tan de cerca cómo se apagó su vida jovial, planificada, destinada a muchos triunfos. Fue ese día que decidí casarme con Julia e irnos a Madrid, fue una decisión dominada por el miedo y la desesperación. Claro, Julia tampoco estaba ya enamorada de mí... Entre tantas decisiones difíciles, la más dura fue saber que ella se convirtió en mi billete de salida— .

Fueron pasando los días, el nuevo trabajo me dejaba poco tiempo para la dispersión y ese poco tiempo libre se consumía en descansar. Yo solía hacerlo yendo a la orilla de la playa que estaba a escasos metros de mi casa. Un día, sentado frente a la playa, en una tarde nublada como casi todas en esta ciudad, empecé a pensar en mis planes de cuando estaba en mi época universitaria. Esa temporada tan corta y alegre de la vida que agrupa la mayor cantidad de ocurrencias y sueños que luego la vida se encarga, como un colador, de ir filtrando, de ir priorizando hasta quedarnos con los esenciales, así como pasa con los buenos amigos. Pensaba en cómo planifiqué mi vida por años, ilusamente como cualquier joven con ansias y sueños: "En el 2011 me gradúo de médico, hago la rural, en el 2013 empiezo el postgrado y en el 2017 seré especialista". Fácil, sin obstáculos. Una vida hecha en mi mente, a mi medida. Evidentemente, estos planes de muchacho no contaban con seguro de vida ni mucho menos con seguro anti desastre nacional. Unas ideas entregadas al destino, que el proyecto del siglo XXI se devoró a bocados, sin digerir... sin avisar.

La esperanza es como la base de una torre de cubos, la pieza central de un rompecabezas, la que le da sentido a tu arte abstracto... Aunque siempre podría volverse a armar, la pieza que la sostiene es indispensable. La esperanza puede debilitarse y agotarse tras golpes y fracasos, puede volver a emerger tantas veces como razones presentes en la vida para afrontar. Va en contra de las leyes de la materia, no se transforma, se esfuma dándole paso a los más indeseados sentimientos y luego vuelve a aparecer, antojada ante cualquier estímulo.

El hurto más valioso que el proyecto del siglo XXI se ha querido engullir, después de la vida de cientos de miles, ha sido el de nuestra esperanza. Es lo que más han tardado en quitarnos a los venezolanos y será lo que más pronto vamos a recuperar. Es un acúmulo de pólvora esperando por la llamarada indicada. Lo difícil de la realidad de nuestra sociedad ha sido intentar pedirle a la gente que ponga a hibernar sus sueños, que le den un descanso a sus objetivos de vida mientras esta etapa vergonzosa de nuestra historia se da el tiempo que se le antoje en culminar y así enseñarnos a valorar una infinidad de cosas. Poner a hibernar nuestras metas de vida en una edad característicamente ansiosa, caprichosa e impaciente, tendría lógica si el tiempo no existiera, así como afirman algunos que el tiempo es una necesidad y un invento del hombre alejado de la realidad. Lo cierto, indiferentemente de si existe o no el tiempo, es que envejecemos y, por más optimistas que seamos, esta vida tiene tiempos casi exactos, inclementes, autoritarios que la mayoría está dispuesta a seguir.

Contribuir a difundir la verdad de muchas historias va a permitir que cada lector genere su propia opinión de esta etapa; opinión necesaria para llegar a conclusiones fiables que nos permitan avanzar. A continuación, verás que cada relato representa, en muchos casos, a miles de venezolanos con la misma historia pero también, en otros casos, son experiencias únicas con detalles nunca revelados. Al final de cada relato voy a permitirme dejar una reflexión muy personal sobre cada historia, donde el lector va a tener la oportunidad de contrastarla con la suya. El objetivo es que cada experiencia sea una lectura dinámica y profundamente reflexiva.

Al pasar la página, luego de culminar cada relato, te encontrarás con una ilustración hecha por algunos de los mejores ilustradores venezolanos del momento, historias que fueron dibujadas sin conocer sus protagonistas reales. Un resultado de 35 ilustraciones que convirtieron este texto de denuncias e historias en un libro de arte.

Quiero tener la convicción de que este proyecto, que ha seleccionado una muestra representativa de los emigrantes venezolanos, se convertirá en una inspiración que afiance nuestro sentido de pertenencia, que aclare un poco el panorama real y que de él podamos cambiar lo que se tenga que cambiar para hacer de Venezuela un país sin fronteras, una cultura universal que nos eleve de orgullo pero, sobre todo, que nos haga conscientes de nuestra propia verdad.

DANIEL MOUHTAR

Compilador

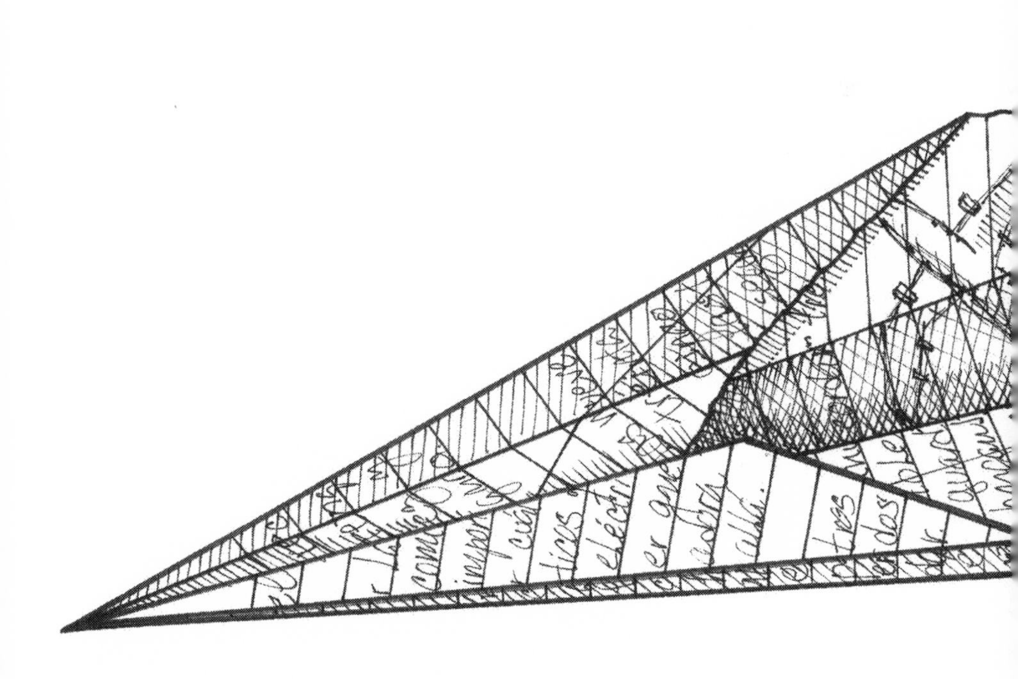

EXILIO FORZADO

ANÓNIMO 1

Iba manejando de Caracas con destino al estado Portuguesa. Yo era el encargado por la mesa de la unidad democrática (MUD) para coordinar el avance en la campaña del referéndum revocatorio a Nicolás Maduro en ese estado y eso incluía estrategias de campaña y financiación. Era el momento de mayor motivación colectiva, parecía que la propuesta de revocar al presidente de la república era bastante viable y contaba con el amplio apoyo nacional.

Luego de tres horas manejando, llegando a San Carlos estado Cojedes, pasamos por un punto de control de la Guardia Nacional:

— Buenos días — saludo al Guardia Nacional como de costumbre.

— Buenos días, ¿hacia dónde se dirige? — Me responde

— A Guanare

El guardia que me interrogó no alcanzaba a tener 25 años, era evidente en su mirada que buscaba algo, no lo que se supone debe buscar un funcionario de seguridad... buscaba algo más, tal vez algo que justificara un soborno con lo que frecuentemente se manejan los militares. Asomó su cara por la ventana y dirigió su mirada a la parte trasera del carro, al mismo tiempo que intenta enfocar algo que parece llamar su atención.

— Estaciónese a la derecha ciudadano y bájese del carro — me exige con tono autoritario.

Me bajé del carro, mientras veía atentamente cómo el guardia intentaba hurgar sobre un montón de papeles en el asiento trasero, entre ellos unos volantes que decían "LIBEREN A LEOPOLDO". El guardia agarró la pequeña caja que contenía unos 150 volantes (destinados a ser parte de la continua campaña por la liberación de los presos políticos en Venezuela), lee un par de veces el contenido y por mi mente pasaron dos cosas: No está leyendo lo que simula leer y está pensando en cómo "matraquearnos" o sabe perfectamente que tiene en sus manos algún caso que pudiera interesar a su superior. Desafortunadamente para mí, una llamada fue su siguiente acción. Se alejó unos metros y no logro escuchar lo que dice, solo veo cómo habla por teléfono mientras lee lo que tiene entre sus manos.

Regresa y me dice: "Abra el maletero si es tan amable". Sin hacer ningún gesto en particular abrí el maletero donde llevaba dinero en un par de cajas. Una gran cantidad de billetes que tiene cualquier venezolano víctima de la inflación que se ve obligado a llevar consigo. Increíblemente, el billete de mayor denominación en Venezuela no logra comprar ni un caramelo y obliga a la población a tener grandes sumas de billetes con muy poco valor para las compras cotidianas. Ese dinero iba destinado a la campaña operativa para la recolección del 1% de las firmas para solicitar el referéndum revocatorio. Tan normal era tener esa cantidad de billetes que el guardia no preguntó nada. Vuelve a hacer otra llamada y regresa:

— Tiene que acompañarnos ciudadano — me dicen sin dar más explicaciones.

Pregunté reiteradamente sobre cuál era el motivo, lo único que respondían era que eran órdenes superiores y que iba a ser trasladado al destacamento 321 del estado Cojedes para cumplir con un interrogatorio.

— ¿Quién es tu jefe? ¿Quién te manda a hacer esto? — me preguntaban reiteradamente ante la incertidumbre pero no recibían respuesta.

Traté siempre de mantener la calma, suelo ser muy tranquilo en mi forma de hablar, no torné mi voz a un tono defensivo en ningún momento. Nos recibió un comisario en el destacamento.

— Hermano, yo estoy siendo retenido de forma ilegal, ustedes me están interrogando sin la presencia de mi abogado y me vas a disculpar pero no te voy a responder nada. Yo estoy luchando por mis convicciones — Le dije al comisario que me hacía las mismas preguntas una y otra vez.

— ¿No vas a responder? — preguntaba el comisario con actitud amenazante ¿Tú sabes dónde te van a hacer responder?— Insiste ante mi negativa de decir algo — Vas a responder en Caracas.

Estuve casi seis horas intentando ser interrogado con llamadas que iban y venían, la puerta se abría y cerraba. Desde el principio me decomisaron mi teléfono móvil así que nunca pude comunicarme con mi equipo o mi familia. Empezaba a darme cuenta de que estaba siendo víctima de cualquier plan, de cualquier excusa para tenerme privado de libertad. Ellos sabían que tenían a alguien clave dentro de la oposición estratégica, aunque nunca fui la cara frente a las cámaras en el debate político nacional, cumplía funciones pilares, especialmente en este proceso del revocatorio a Maduro.

Insistían una y otra vez, con la paciencia del acosador, con la ligereza del poderoso. Preguntaban quién era mi jefe insistentemente, conocer eso era primordial para ellos y así saber desde dónde actuar. Yo siempre respondía que tenía derecho a callar hasta tener a mi abogado. Era evidente que recibían instrucciones superiores, luego de unas seis horas se da uno de los momentos más denigrantes cuando, sin previo, aviso me sacaron de la oficina donde me mantenían encerrado a una especie de patio donde había todo un montaje preparado con el carro de fondo, el dinero y los volantes sobre una mesa, un par de cámaras y una pancarta del Sebin. Me dieron la vuelta para no mostrar mi rostro y empezaron a fotografiar y a grabar. Me dieron el mismo trato y proceso que se le da a cualquier delincuente que trafica drogas, a cualquier asesino capturado, allí estaba yo, con la mirada agachada, escuchando el sonar de las cámaras y la voz de algún reportero anunciando la captura de un sospechoso.

Uno de los comisarios, luego de una especie de amenaza endulzada, me había hecho saber que me llevarían a Caracas, que iba a ser trasladado al centro operacional donde tienen presos a compañeros y conocidos: El Helicoide.

Yo seguía sin teléfono, sin alguna forma de comunicarle a mi familia que estaba en esa situación desde hacía seis horas. Pasados unos minutos, luego de presentarme a la prensa como un delincuente, el comisario entra nuevamente a la oficina y me dice:

— Te lanzaron un salvavidas, mándale saludos a tu jefe.

Eso me hizo saber que habían revocado la decisión de trasladarme a Caracas, tal vez para evitar el centro mediático. Me di cuenta que estaba preso cuando por fin estaba dentro de la celda. El sonido al cerrar esa armadura de metal me dejó con la mirada fija unos segundos. Estaba adentro con 19 personas más, una celda que parecía una alfombra humana, donde los reclusos dormían sentados uno al lado del otro y se les permitía salir una vez al día al baño, cosa que era un lujo.

Sorprendentemente, la receptividad de los que ya estaban adentro no fue mala, luego de explicar que era un preso político, empezaron a explicarme cómo defenderme, cómo usar un cuchillo; empezaron a darme lecciones de lo que ellos consideraban supervivencia, a hablarme de todo lo que se les antojara, con un evidente interés por ver una cara nueva, con cierta emoción contenida.

— Tienes que aprendé a agarrá bien un cuchillo, el que te vea débil te va a jodé— me decía uno de los reclusos que parecía distraído con mi presencia, como la que genera un nuevo invitado, siempre con respeto.

Yo, siendo abogado penalista, estando relativamente cerca al sistema carcelario durante toda mi vida profesional, me parecía un mal sueño estar ahí. Con un toque de orgullo, como quien habla plácidamente de sus logros en la vida, cada uno comenzó a hablarme de sus delitos, desde a quién habían secuestrado hasta a quién habían asesinado, siempre con una notable mirada de compasión y empatía ante mi evidente e injusto encierro. Ellos me hicieron entender, con sus gestos, que no me consideraban parte de aquel momento ni de aquel sitio.

Ya era nuevamente de noche y durante las horas de conversación, aprendí el sobrenombre de un par de ellos. Don Garabito tenía un teléfono móvil escondido y me lo ofreció para mandar un mensaje, lo sacó de algún agujero en la pared y me lo dio. En ese momento no supe a quién escribirle, notaba cómo se aceleraba mi respiración ante la posibilidad de decirle a mis padres por lo que estaba pasando, irónicamente no me sabía el número de ningún amigo o familiar, solo me sabía el número de la secretaria de mi oficina, fue mi única opción así que le escribí un mensaje de texto: "Me tienen preso en San Carlos, voy a ser trasladado, no sé a dónde, dile a mi familia". Nunca supe de una respuesta a ese mensaje.

Estuve 48 horas en esa celda después de conocer, por parte de la jueza que llevaba mi caso, que iba a estar preso hasta que se llevara a cabo una audiencia preliminar en 40 días.

La mirada de la jueza, quien informó sobre la audiencia preliminar, fue particularmente llamativa para mí, antes de abandonar el cuarto y luego de anunciar lo que le habían ordenado anunciar, mirándome a la cara, levantó los hombros con un sutil gesto como queriendo decir: "No puedo hacer nada". Uno de los fiscales incluso me dio la mano y sin mirarme a la cara me dijo: "Disculpa". Sin más, una corta, fría e incoherente disculpa. Se estaban disculpando con el acusado, no sé qué tan frágil pudieron tener la conciencia el fiscal y la jueza en ese momento, pero ante mis ojos tenían un cierto aire de remordimiento. Básicamente estaba siendo la víctima de un show con objetivos poco claros que seguía sin entender, nunca hubo una explicación clara, lo único de lo que estaba seguro era de que quienes decidían mi destino, en ese momento, no estaban en ese cuarto, no era esa jueza ni ese fiscal. Así han decidido la vida de muchos, sin marco judicial, sin basamento legal. Es la bestia moviendo sus marionetas... Es una lucha sin tregua, sin posibilidades reales de ser resuelta con basamentos legales, no eran esas las razones.

Estuve dos meses encerrado en el destacamento 321 de apartadero en el estado Cojedes, durante esos meses pude ver a mi familia y a mi abogado un par de veces, no tenían información de mi proceso. Pasados los 40 días fui trasladado a Caracas, a la sede del Helicoide donde funciona el Servicio Bolivariano de Inteligencia Nacional y donde opera la maquinaria acosadora al margen de toda ley. En el Helicoide evidencié cómo los detectives hablaban pestes de Nicolás Maduro, uno de ellos expresaba, sin decoro, su indignación por tener que lidiar con un preso como yo cuando existían otros tantos que merecían estar ahí. Algunos de esos comentarios los hacían en mi presencia, una vez más queriendo dejar claro que era un proceso injusto e incoherente, como queriéndose lavar las manos y liberarse de responsabilidades.

Un día, uno de los funcionarios del Helicoide, en un momento de aparente desespero, dijo entre gritos:

— Esta vaina no funciona, aquí están pasando cosas muy raras, la cuerda está floja, al final los que nos vamos a joder somos nosotros.

Aquellos dos meses estuve entre los calabozos y el piso siete del Helicoide, en lo más alto de aquella estructura que se ha convertido en el cerebro de la dictadura, en el centro de las operaciones maquiavélicas que usa el régimen como ficha comodín desde que el apoyo popular dejó de ser su soporte. Entablé amistades con varios detectives que, constantemente, mostraban gestos de empatía conmigo. No era el único preso político en el Helicoide, sabía que varios compañeros de partido y de trabajo se encontraban también en algún calabozo. Uno de ellos, ante la limitación para hablar sin ser escuchado por los detectives, entre un calabozo y otro, me hizo llegar un papel doblado con un tercero que decía: "No hables con nadie, después hablamos". Caí en cuenta de que los gestos de amabilidad y empatía de algunos detectives podrían tratarse de alguna estrategia para ganarse mi confianza y poder declarar detalles que me negaba a hacer, no porque fuesen detalles que bordearan la ilegalidad, eran aspectos, nombres, detalles que iban a profundizar la represión hacia más compañeros. Una de las estrategias era infiltrar algún detective como preso en la misma celda en la que estaba, que se ganara mi confianza y así conocer detalle de otras personas del equipo y profundizar así las operaciones de represión.

En el Helicoide me di cuenta de que el aparato de seguridad del estado, el estómago de la bestia, era más vulnerable de lo que parecía ser, las quejas entre los funcionarios y las incoherencias que evidenciaba mi caso, y el de muchos otros que permanecían presos en ese mismo edificio, generaban un evidente desespero y malestar en algunos. Conocí, sin mucho detalle, cómo cada fracción del gobierno tiene una especie de "cuota de presos canjeables". Liberarlos dependía de qué ficha movía cada cual y de sus intereses. En presencia de mi abogado, en una reunión con el Defensor del Pueblo, quien fungía como un falso mediador que ablandaba la erosionada fama dictatorial del gobierno, el que suavizaba la imagen institucional del impopular gobierno de Maduro, sobre todo internacionalmente, llamó a Iris Varela, la Ministra de Asuntos Penitenciarios, ante la solicitud negada para que mi familia me visitara en el Helicoide:

— Oye Iris, mira vale, deja pasar a la familia de este chamo, que lo vean un rato— Una llamada corta entre compañeros de trabajo, entre el responsable de uno de los poderes públicos designados por la Asamblea Nacional que supone imparcialidad y una ministra del gabinete de Maduro... complicidad y confianza.

Así decidían todo, una llamada bastaba para apresar o liberar a alguien, con una llamada revocaban permisos de visitas, mejoraban o empeoraban las condiciones de los presos políticos. Los jueces y las decisiones judiciales eran un paso muy distante de las decisiones iniciales tomadas por los cabecillas de aquella trama criminal organizada en el gobierno. La presión mediática para la liberación de todos, incluyendo la mía, resonó fuertemente en la diplomacia internacional. Con mi aprensión comenzó toda una oleada de represión contra dirigentes de Voluntad Popular, el partido en el que milito. El símbolo del líder nacional tras la rejas, dirigiendo un partido que tenía claridad de los hechos y los personajes que dirigían la desgracia nacional, era la principal amenaza a la continuidad de aquellos en el poder.

Mayo de 2015, aquel era uno de los momentos de crisis política y social a nivel nacional más agudo desde el 2014, la tambaleante estabilidad del gobierno era evidente en la calle, en las protestas espontáneas, en los saqueos. No tenías mayor opción que apretar la tuerca de la represión, del miedo. El pueblo, ese que los apoyó, hoy era su principal espada de Damocles y su arma más efectiva contra los dirigentes políticos principales que entusiasmaban esos sentimientos. El gobierno solo buscaba atacar a sus equipos de trabajo, hostigar y lograr la autocensura en todos los aspectos y en todos los niveles de la sociedad.

Durante esos días se había intentado concretar un diálogo entre el gobierno y la oposición. Era la segunda vez, desde el 2014, que el gobierno sintió la necesidad de apaciguar las aguas enaltecidas a través de un show televisado donde se suponía iban a darse treguas y acuerdos que alivianaran la tensión en la calle. Para ese momento se había integrado como mediador entre el gobierno y la oposición el ex presidente José Luis Rodríguez Zapatero, entre otros. Las exigencias de la oposición, además de permitir el referéndum revocatorio contra Maduro, era liberar a todos los presos políticos, incluido Leopoldo López. Fue aquí donde mi encarcelamiento funcionó como comodín de canje, como ficha de intercambio. Libertad a unos cuantos presos de poco peso político como yo, a cambio de dejar una imagen internacional a favor del gobierno.

Días antes de mi liberación, habiendo sido emitida la boleta de excarcelación (que supongo habrá sido autorizada con una simple llamada telefónica), le comunican a mi familia que esta había sido revocada días después de haber sido firmada. El mensaje era claro, si salía en libertad y me quedaba en el país podían volverme a apresar, mi libertad fue una especie de fuga concertada. El 18 de octubre de 2016 salí en libertad, me esperaban mis padres a las afueras del Helicoide, un abrazo largo con algunas lágrimas que apenas dejaban ver mi cara sobre los hombros de mi madre. Pasaron cuatro horas desde que dejé el sitio que se convirtió en mi pesadilla por meses hasta estar montado en un avión en dirección a USA. Cuando el avión empezó a alzarse sentí tantas cosas, apenas podía analizar lo que estaba pasando, la rapidez con la que se dio todo, la adrenalina de tener que huir como un criminal de mi país, no poder despedirme de mis amigos, del resto de mi familia, durante meses pensé que iba a estar preso por años, nunca llegué a deprimirme, pero el golpe emocional que pretenden dar los creadores de estas estrategias de represión es fuerte, en mi caso logró su cometido, neutralizarme y usarme como canje. Ese era el objetivo desde el principio, tener presos políticos que, a posteriori, pudiesen fungir como premio de consolación, como comodín que deje ante la opinión pública el carácter democrático del régimen

Cuando vi el mar venezolano desde las alturas sin despedirme, entendí lo que estaba pasando, entre lágrimas de indignación e impotencia que paraliza, que neutraliza. Hoy trabajo en los Estados Unidos, me dedico de lleno a trabajar los temas de DDHH en Venezuela. Voy a aportar todo mi tiempo a luchar por recuperar mi país, a que el próximo gobierno sea ejemplo de respeto, a que el Helicoide deje de ser el arca de los presos políticos en Venezuela. Un día voy a volver allí y voy a ser testigo de la re institución de mi país. Soy más fuerte, soy un venezolano en el exilio.

Comentario:

Si hay algo de lo que debemos estar seguros es sobre las intenciones del gobierno de eliminar uno a uno a todo aquel que haga vida política en su contra, no importa el cargo, no importa el peso dentro de las organizaciones o la sociedad, eliminar políticamente ha sido clave para la supervivencia del régimen.

Son maniobras conocidas en el mundo dictatorial. El miedo es su mejor herramienta y la valentía el antídoto de todos los que siguen firmes. Todas estas maromas son estrategias de una guerra no convencional, una guerra que no puede darse el lujo de mostrar su cara ni declarar abiertamente por el riesgo a las represalias internacionales.

Son cientos de miles los venezolanos que han huido con miedo, luego de ver cómo asesinaron o secuestraron a un familiar; son muchos los que se han salvado de las garras de la bestia luego de actos de tortura física y psicológica. Todos ellos son hoy exiliados políticos, aunque todos los que se han ido bajo algún tipo de presión también son exiliados, pues el exiliado es todo aquel que se ha visto obligado a abandonar su país para refugiarse en otro.

Que este relato se convierta en un homenaje a todos los héroes que han puesto su vida en peligro y para los que hoy siguen aún tras las rejas, ustedes han representado el sentimiento mayoritario del país, para ustedes nuestro incalculable respeto.

Jorge Luis Torrealba Marín • 26 años • Nacido en Punto Fijo, estado Falcón • Actualmente en Miami • Caricaturista • Instagram: @jorgetorrealba

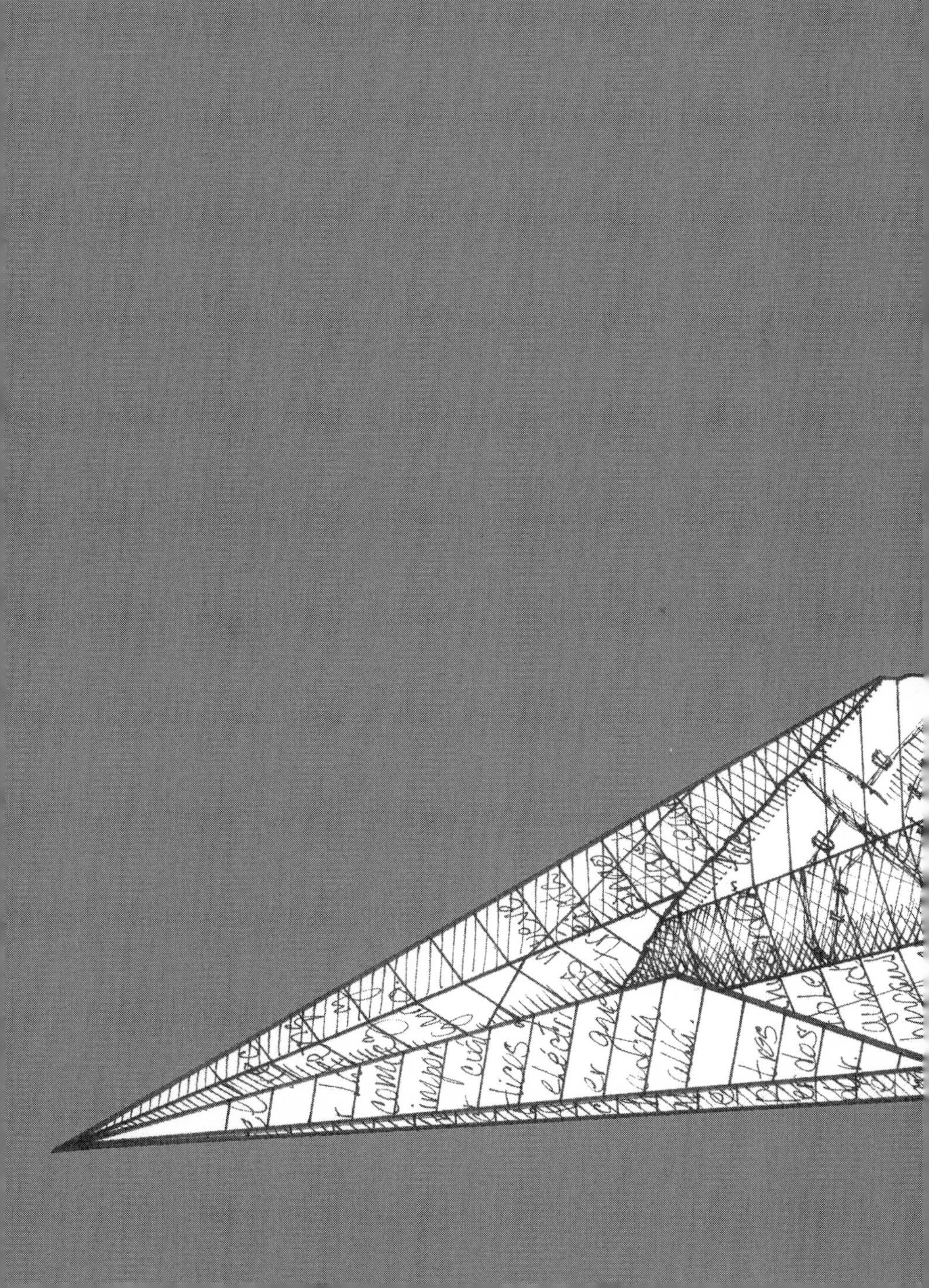

SENTIMIENTO VISCERAL

Hay algo particular que quisiera compartir, no quiero hablar de mi vida aquí, no quiero relatar mis variadas experiencias, buenas ni malas. Quiero contar cómo fue tener, por primera vez, un sentimiento tan visceral y primitivo; el sentimiento que nace del mismo espacio en el cerebro que sutilmente estimulado genera amor y cuando se le estimula con énfasis estimula el odio. Sí, el odio y el amor nacen del mismo espacio. Qué fácil es amar y odiar de un día para otro, qué fácil es convertir el placer en odio.

Nunca en mi vida lo había sentido, por lo menos eso fue lo que descubrí cuando lo sentí. Fue horrible sentirme así, siempre he sido muy equilibrada en todo; soy de las personas que siempre buscan una explicación, la modifican a su antojo y se liberan de sentimientos tóxicos. Esta vez no pude. Estaba viendo vídeos en mi Facebook, que por cierto ya no uso mucho porque abrirlo es irme a Venezuela y mi mente se traslada a la velocidad de la luz. Siempre son noticias trágicas o tristes y alguno que otro vídeo divertido. Ese día vi uno de cuando encontraron a un ladrón robándole a una embarazada en alguna ciudad del país, los vecinos lo tomaron, lo amarraron y lo encendieron en llamas. Una conducta cada vez más cotidiana en la sociedad ante la falta de justicia, así que la gente empieza a tomarla por sus propias manos.

Ver ese vídeo despertó en mí la reacción más primitiva que cualquier persona puede sentir, me dejé llevar por la euforia de la gente que incendiaba el cuerpo de esa persona, por segundos comencé a sentir placer, se aceleraba mi corazón, mis ojos se abrían más para detallar cada enfoque de mi móvil. Empecé a respirar más rápido, sin darme cuenta me estaba invadiendo una cascada de adrenalina que no podía controlar. Repasaba el vídeo una y otra vez, mientras veía cómo se retorcía en el piso ese muchacho, un hijo de la revolución, un ciudadano que creció durante este proceso criminal. Se escapaban de mi boca palabras que no decía intencionalmente "Muérete desgraciado"... "Hay que quemarlos a todos".

Por mi mente pasaban las estrategias de exterminio más crimínales que ha vivido la humanidad. Tan simple como eliminar a cada uno de los que han matado, darles un merecido a cada cual que tuviese las manos llenas de sangre inocente, inocente como la de mi hermana. Me llené del mismo odio de aquellos que estaban en ese momento dándole aquel "castigo". Por 20 minutos ese odio cavernícola, ingobernable, invadió mi cuerpo. Después lloré, lloré como no había llorado desde que mi hermana nos dejó, lloré como no lo hice en su velorio, me desplomé. Fue en ese momento que sentí el luto, fue en ese momento que no pude contener más la rabia que tenía meses creciendo en mí, la impotencia de no verla, de haberme ido por pánico a vivir lo mismo, mi cuerpo no daba para más, la tensión y la falta de sueño, el cansancio que viajaba conmigo sobre los hombros como un peso excesivo que no había notado hasta que lo dejé caer. Lloré con cada canción que me recordara a ella. No puedo describirlo... fue un río que se desbordó, no podía parar.

Me desperté en medio de la noche, eran las 4 am. Ya había dormido mis acostumbradas 8 horas, esta vez sin pesadillas, sin interrupciones. Las lágrimas me hicieron dormir sin apenas darme cuenta. Estuve una hora en la cama con los ojos abiertos, me había liberado de todo odio, me sentía ligera. Algunos necesitan terapias, mi terapia fue dejar fluir lo que el cuerpo me pidió botar.

No quiero sentir más nunca en mi vida ese sentimiento que invadió mi raíz sin pedir permiso y no pude controlar. Espero algún día que la justicia del hombre logre apaciguar la indignación de miles que tuvieron que huir con miedo y de aquellos que amamos y vimos partir en manos de los hombres nuevos, nacidos en un proceso miserable.

Comentario:

Uno de los pilares fundamentales que sostiene la desgracia venezolana es la paupérrima acción de justicia. Niveles de impunidad tan altos como el descaro de aquellos que tienen en sus manos administrar la justicia como eslabón de una sociedad que debe vivir en paz. Hay muchas heridas ocultas, quien menos imaginamos lleva consigo grandes frustraciones y miedos que muchas veces se apoderan de la vida del desafortunado.

El índice de depravación o maldad divide a los asesinos según la forma en la que cometen un crimen y, aunque no existen estudios basados en este índice en Venezuela, la sensación de maldad vinculada a la criminalidad ha sido cada año mayor. Según la ONG Observatorio Venezolano de Violencia (OVV) los asesinados en Venezuela en 2016 fueron 27.875. Estos números ubican a Venezuela como el segundo país más violento del mundo, excluyendo aquellos en los que hay conflicto armado y arroja un índice de 100 homicidios por cada 100.000 habitantes, según datos de la organización. Este ha sido el principal motivo de la masiva oleada migratoria de la última década. La delincuencia pareciera estar sutilmente protegida por el régimen, fungen como unos aliados naturales, protectores de los poderosos. En los últimos años, la sociedad venezolana ha comenzado a experimentar, ante la débil, ineficiente y ausente justicia, la necesidad de tomar esta última por sus propias manos en situaciones particulares. La desesperación y el odio hacia aquellos que nos exterminan como país ha ido creciendo de manera natural. Odio, que de no haber justicia eficiente, podría desbordar a la sociedad en niveles aún mayores de anarquía. Confieso que el deseo mayor, luego de ver terminar esta etapa política y ver caer a la gangrena, es ver caer a la delincuencia dentro de lo que rigen los derechos humanos, sin un ápice menos de piedad. La justicia debe llegar y sanar a muchos, saciar la sed de venganza que se vive en las calles donde los mismos ciudadanos se muestran contra el criminal.

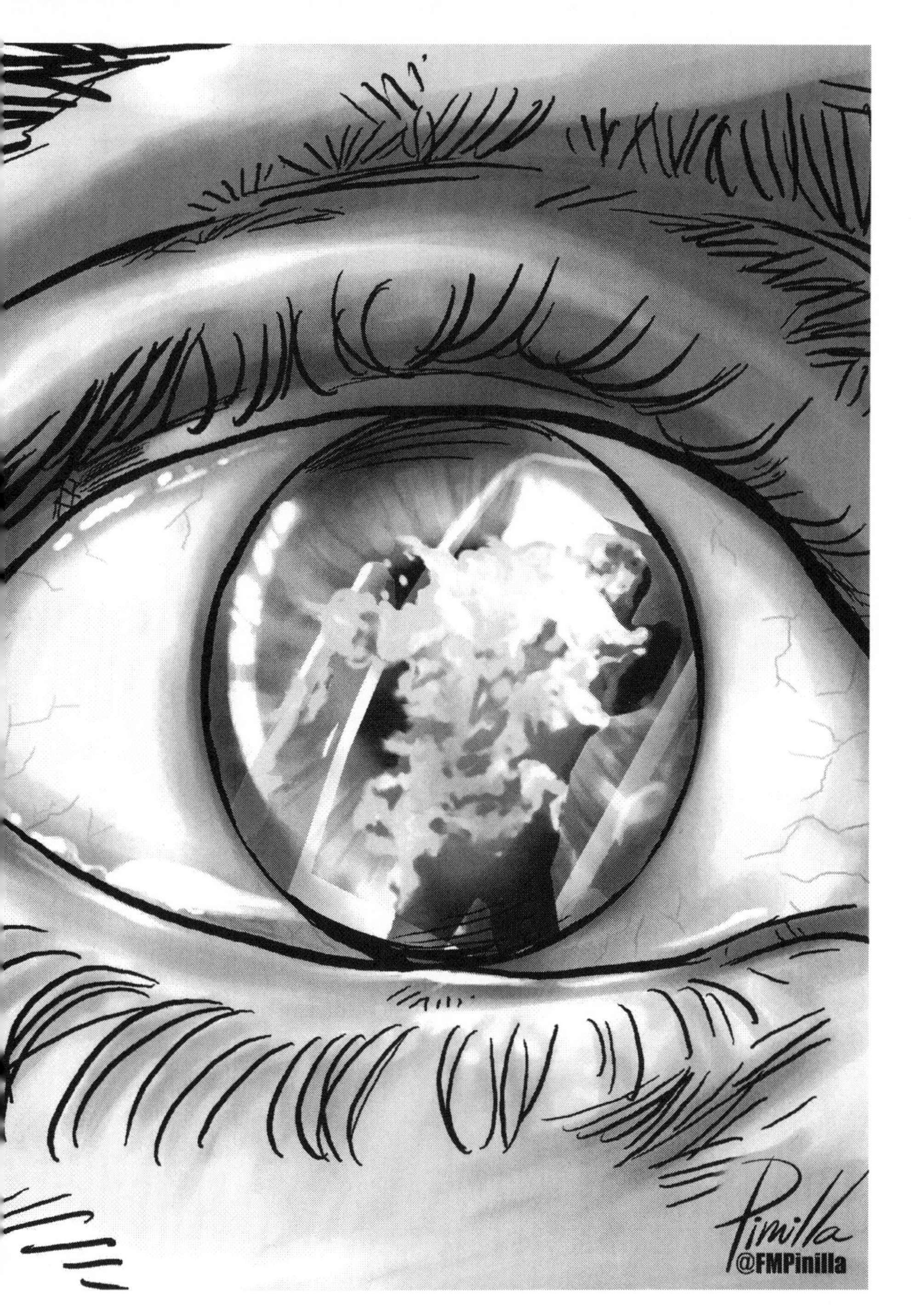

Fernando Pinilla • 35 años • Nacido en Barranquilla, Colombia • Actualmente en San Antonio de Los Altos, estado Miranda • Caricaturista, Ilustrador y Escritor • Instagram: @fmpinilla

FINLANDIA A -25 C°

ANÓNIMO 3

Es imposible dejar de pensar en una realidad que no me pertenece pero que me rodea. Caminando solo es más fácil hacerlo, las ideas echan a volar y se combinan con otras que han perdido dueños y están huérfanas, las adopto y, en instantes, tengo un montón revoloteando en mi cabeza. Los que tenemos una mente que no para, que nunca descansa, que siempre está buscando una explicación, una justificación, una duda mal resuelta, nos preguntamos de forma casi cotidiana: "¿Qué le cuesta a Venezuela ser así?" Pregunta llena de ignorancia y culpa no asumida.

Estoy viviendo en Helsinki, Finlandia a -25 C°, con este frío debería estar pensando poco y moviéndome más, cuidando mis orejas de una necrosis, pero no, pienso mucho. Caminando en un día cualquiera, luchando para que el tiempo en mi reloj corra más rápido que el tiempo que dura el sol en el cielo, pienso en cómo una sociedad que tiene poco más de 100 años de independencia (formalmente), goza de un nivel de vida asombrosamente bueno, un nivel de educación catalogado como el mejor del mundo. Ver alguna noticia sobre corrupción es tan raro como un largo día soleado. No creo que consiga un sistema de seguridad social y bienestar como el finlandés. Aquí las cárceles son prácticamente un mito.

Y bueno sí, son solo 5 millones de habitantes, la densidad poblacional es de 15 personas por kilómetro cuadrado, con tan pocas personas y con tan altos impuestos es más fácil organizar un país. Con este clima obviamente no voy a ver un motorizado que quiera hacer y deshacer mi vida como le dé la gana. Cada nación tiene sus particularidades, lo malo de este país es lo poco calurosa que es la gente, marcan distancia hasta con el saludo.

La gran lección, en mi particular aventura, ha sido asumir parte de la culpa de la realidad y sociedad que me vio crecer. Los que hemos tenido la dulce y amarga oportunidad de comparar a Venezuela con otras sociedades hemos aprendido que de la educación parte la estructura de una sociedad mejor. Cuando me toque regresar a Venezuela, yo y los millones que retornaremos, vamos a tener un concepto de sociedad que va a influir en nuestra forma de ejercer nuestra ciudadanía. Prometo regresar y contribuir con todo lo que he aprendido, con todo lo que he visto que hace a un país grande, incluso cuando es tan pequeño como Finlandia.

Comentario:

Nadie puede dudar que la experiencia de nutrirse de culturas distintas, de conocer cómo funcionan naciones tan cercanas y distantes a la nuestra, va a permitirle a millones conseguir respuestas a muchas interrogantes sobre los motivos que han llevado a Venezuela a vivir esta especie de pesadilla de la que aún no hemos despertado. Sociedades no tan distantes a la nuestra como la colombiana, que ha vivido más de medio siglo con guerrillas, los judíos que, generación tras generación, transmiten la verdadera historia vivida por sus bisabuelos y abuelos sobre la persecución antisemita, la conciencia sobre lo que la guerra significa para los países de Europa o la memoria de una tragedia como la que vivió Japón con la bomba nuclear. Es decir, las grandes tragedias, el lado oscuro de la historia de muchas naciones se convierte en el mejor maestro para el futuro. Los venezolanos tenemos que cumplir la ardua labor de mantener viva la memoria y de transmitir a nuestras próximas generaciones la realidad de un sistema político depredador que llevó a Venezuela a caer en lo más hondo.

Víctor Pérez • 21 años • Nacido en Caracas, Distrito Capital • Actualmente en Caracas • Ilustrador & Motion Graphics Artist • Instagram: @vedepeilustracion

CEREBRO FUGADO

ANÓNIMO 4

—Sandra, encantada — le respondo sin mucho interés

— Soy Julián, igualmente

— Mira Sandra, él es Julián, te había hablado de él ¿recuerdas? El chamo de Caracas— dice mi amiga Alejandra, con aparentes intenciones de romper el hielo entre nosotros y con la que me estaba quedando unos días en Houston.

— Sí Ale, ya nos conocimos, llegas tarde — Sonreímos.

Doy la vuelta y voy a servirme un trago, en la mesa solo había ron y Coca Cola. Era una noche entre venezolanos, al fondo la música cambia de un Chill out a una salsa cualquiera, de esas que se las ingenia para hacerme mover los hombros mientras simulo tocar unas maracas.

Era 22 de diciembre, iba a pasar las navidades en esa ciudad que jamás pensé que me daría el regalo más valioso que ostento tener ahora. Ya había presentado la prueba para la especialidad médica en la Universidad Central de Venezuela hace unos meses y estaba viajando para celebrar la noticia de que era residente de Neurocirugía del Hospital Clínico Universitario. No era cualquier cosa, siempre había sido muy aplicada y exigente con mi carrera pero para mí, empezar un postgrado en este hospital que se llegó a catalogar como uno de los hospitales de mejor prestigio para la formación de un médico en Latinoamérica, era todo un éxito. No me lo creía.

Mi papá es anestesiólogo, es mi pilar de acero, desde siempre el plan fue ser la cirujano y él el anestesiólogo. Mi sueño era tener un equipo entre mi papá y yo. Era el sueño que me hacía sonreír, que me aceleraba el corazón de orgullo y ya lo estaba comenzando.

Me tuve que regresar a Venezuela el 29 de diciembre porque el 1ro. de enero empezaba las guardias. Me fui con la buena vibra de haber pasado dos semanas geniales, sobre todo por haber conocido a personas que me alegraron las horas, en especial él. Había mucho más que química, no podía controlar mi sonrisa cuando me hablaba, aprovechaba cualquier broma sin sentido para reír a carcajadas. Me fui a Venezuela presintiendo que ese viaje era decisivo en algún aspecto que aún no lograba definir.

Enero del 2014, Venezuela ya empezaba a tambalearse con más fuerza, yo no tenía tiempo para estar pendiente de las noticias, vivía el caos hospitalario a fondo. Luego de unos meses en el postgrado, la decepción comenzaba a ganarme la batalla. Existía una especie de anarquía médica, no había mucho control en los actos quirúrgicos; me llegaron a castigar una vez por responder algo en la revista médica que mi superior no sabía, por supuesto el tono de mi respuesta ante su desconocimiento no fue muy armónico. Me había formado durante años para ser una buena residente, para aprender y ese era mi momento. El mismo caos nacional que invadía los hospitales convertía a un residente de cualquier hospital de Venezuela en un soldado de guerra, una máquina de trabajo vacío, sin academia.

Hacer sin aprender, obedecer sin preguntar. Actuar sin pensar.

Mi tope alcanzó su máximo el día en el que vi, con mis propios ojos, cómo teníamos que decidir quién vivía y quién no al momento de priorizar el quirófano en un momento crítico donde las instalaciones no daban abasto para atender correctamente a todos los pacientes. Ver a sus familiares gritando de dolor, en el fondo todos sabíamos que eran causas de muertes evitables y allí fue cuando mi cuerpo me pidió a gritos salir corriendo, dejarlo todo. Esta vez, la fuerza que me caracterizaba se agotó, mi sueño más anhelado había acabado y acababa porque yo lo decidía, no quería ser una profesional víctima de la formación en el caos, no quería incluso ser víctima de los victimarios. En muchas oportunidades llegué a recibir amenazas con arma en mano dentro de urgencias por vándalos que me exigían revivir a su socio de pandilla asesinado. Un sistema de salud invadido por la anarquía, la desidia y la inhumanidad. Terminé la guardia al día siguiente y me fui. Escribí una carta de renuncia donde el respeto no fue excusa para expresar mi desánimo.

Jamás había pensado en irme, lo juro. Siempre había querido casarme y tener mis hijos en Caracas, que crecieran como yo lo hice viendo el Ávila, disfrutando un concierto, correr en el Parque del Este. Yo amaba mi ciudad, fui plenamente feliz en ella y mientras recuerdo esos momentos no dejo de secarme lágrimas que nacen de lo más íntimo de mis recuerdos. Desde Venezuela, preparé las pruebas para aplicar a la especialidad en Estados Unidos. Los que son médicos o tienen algún amigo que ha pasado por lo mismo sabe que esta etapa de estudios para aplicar a una especialidad en otro país es una especie de retiro espiritual durante meses, incluso años. Muchos de mis amigos se iban a prepararlo a Estados Unidos, casi dos años. Para mí era imposible, no tenía tanto dinero, siempre hemos vivido cómodos pero no somos ostentosos, ni mucho menos, y lo necesitaba si quería irme a hacer todo desde allá.

Mis padres se decepcionaron un poco de mí, no me lo decían pero lo veía en sus rostros. No podían entender cómo abandoné sin más mi sueño. Me vieron día y noche por nueve meses estudiando en casa, desde las 7 am hasta las 9 pm, todos los días. Desde ese momento comenzaron a tomar en serio mi opción de irme. Cuando aprobé todos los requisitos me fui a Houston, ahí iba a hacer un internado con un médico venezolano y al final fue él quien me recomendó con una increíble carta al hospital Albert Einstein de Philadelphia. Recibir ese correo de aceptación me mantuvo con los ojos hinchados y saltando de alegría por tres días. Alegría que compartía con aquel chamo de lentes que, con su mirada, me dijo que nos íbamos a encontrar de nuevo... su mirada me dijo, desde el primer día, que iba a ser mi pilar, mi sonrisa diaria, mi cuota de placer. Mientras escribo esto, en la cocina de mi casa, tengo en frente a mi esposo cocinándome mis panquecas de banana como todos los domingos.

Yo no sé cuántas historias serán como la mía, no sé cuántos venezolanos dispuestos a dar el 100% por su país y sus sueños se han ido con los hombros caídos, yo solo sé que si algún día me toca regresar a mi Caracas, mi esposo y yo vamos a hacer todo lo que podamos por volver a tener una ciudad merecedora con gente que la valore y la quiera.

Podría escribir horas y contarte sobre mis tres semanas de embarazo que estoy a punto de decirle a Julián, pero ya me está empezando a ver mucho y va a descubrir que no fue el primero en enterarse.

Comentario:

El golpe más costoso, económica y socialmente para nuestro país y lo que va a requerir muchos años en recuperar, es el éxodo de profesionales cualificados. Según un estudio de la comunidad de venezolanos en el exterior, organizado por la Universidad Central de Venezuela, el 94% de los emigrantes venezolanos posee una licenciatura, maestría o doctorado. En su mayoría, fueron venezolanos formados en casas de estudio públicas del país donde el estado realizó una inversión importante con la aspiración de contribuir a formar a los ciudadanos en las áreas de la sociedad más demandas. Lo de una alta inversión es un suponer teórico, en la práctica el objetivo del gobierno ha sido debilitar y aniquilar las universidades tra-

dicionales del país como todo aquello que no haya sido creado en revolución.

Como cualquier país, la aspiración de avanzar y mejorar como sociedad es el pilar del sistema educativo. La sangría de profesionales que se llevan un título universitario no para, no existen cifras oficiales confiables sobre el número de venezolanos en el exterior. Ronda alrededor del 10% de la población venezolana la que ahora relata su historia desde la distancia. Un sector estratégico de la sociedad como lo es la salud es uno de los más afectados por el desastre nacional. Según la Federación Médica Venezolana, para el año 2015, 13.000 médicos habían dejado de ejercer en Venezuela. La formación de médicos fue uno de los grandes puntos de mira del chavismo desde el inicio de gobierno, con la incorporación de miles de médicos cubanos al sistema sanitario nacional y la creación de la medicina integral comunitaria, así como el ataque al bolsillo de los galenos que fue clave para el desplome de la salud en Venezuela.

Jorge Luis Torrealba Marín • 26 años • Nacido en Punto Fijo, estado Falcón • Actualmente en Miami • Caricaturista • Instagram: @jorgetorrealba

ANÓNIMO 5

¿EL COLLAR DE LA FORTUNA?

Sergio y yo nos vinimos a Londres a mejorar nuestro inglés ya que nos dedicábamos a enseñar el idioma en Venezuela. Siempre pensamos que este viaje sería un espacio para mejorar y luego retornar... Seguir con nuestras vidas como lo planeamos.

Los cambios que se dieron en el país en el 2014 nos obligaron a reconsiderar la opción de volver y decidimos estar un año más aquí. Nuestra historia no tiene grandes particularidades, no hasta ESE momento.

Junio 2014:

Solía ir en bicicleta a clases y luego a trabajar, era un medio de transporte rápido y barato. Limpiaba casas, cobraba por horas y tenía clientes fijos para ese entonces. Ese día iba con retraso al trabajo y manejé la bici más rápido de lo usual. Frente a un hotel de importante renombre, veo una especie de estuche negro, ovalado, que estaba en la calle arrimado a un lado. Me dio curiosidad, paré la bici un minuto y lo tomé. Ya eran las 9 pm y había poca gente a esa hora por la zona. La curiosidad no me dejó seguir sin darle una mirada a lo que había adentro, pero tuve que hacer algo de fuerza para abrirlo, parecía ser un estuche pesado. Lo que había adentro no llamó mucho mi atención, era un collar todo enmarañado, de un tono plateado mate y lucía algo desordenado. Cerré el estuche, lo guardé en mi bolso y seguí pedaleando, se hacía tarde y esa cliente era un tanto malhumorada.

Siempre pensé que lo que había dentro de ese estuche era cualquier accesorio de fantasía, de poco valor; lo mismo pensó Sergio cuando se lo enseñé al llegar a casa. Lo guardé en el armario. Ahí estuvo por casi 10 meses. Sergio tampoco le prestó mucha atención y nuestra convulsionada vida no daba espacio para dedicarle tiempo a detalles secundarios.

En febrero de 2015 decidimos mudarnos y, en medio de todo el proceso de empacar y hacer maletas, volví a encontrarme con el estuche negro en el mismo sitio donde lo había dejado, con una capa de polvo, de ese que se reproduce con vida propia y sin clemencia en estos países. Ese día estaba una amiga ayudándonos a hacer la mudanza y, en medio de todo ese alboroto, le conté la historia. Le digo que fue un hallazgo casual, fue culpa de la curiosidad. Ella abrió el estuche y alzó el collar que seguía estando tan enredado que parecía una misión imposible de resolver. Ella, con la paciencia que yo no tengo, logró desenredarlo y descubrió un collar mucho más largo de lo que aparentaba ser, tan largo como para rozar la cintura de quien lo use. Pudimos ver un par de detalles en la parte más baja del collar, una especie de huevecillos que cargaban en su interior varias piedras que brillaban, eran diminutas, había que enfocar bastante la mirada para detallar tal hallazgo.

— Amiga, esto parece ser un collar caro — me dijo mientras enfocaba su mirada en él.

— ¿Tú crees? La verdad que no lo había detallado. Pensé que era de fantasía — Y detengo lo que estaba haciendo.

Yo jamás he tenido joyas valiosas, lo más exquisito que he volcado sobre mi cuello ha sido una cadena de plata. No sé reconocer a detalle lo que es de valor. Mi amiga insistió en buscar en internet y resolver la duda sobre el valor real de ese misterioso collar. Efectivamente lo hizo, dio con la marca pero no con el precio, para ello había que registrarse en la página web. Nuestra sorpresa al conocer el precio de la cadena fue desconcertante, el valor real era de veinticinco mil euros. En ese momento no supe identificar si lo que me invadía era sorpresa, alegría o temor. Había tenido conmigo una joya que no era mía, de muchísimo valor, tanto como lo que Sergio y yo ganaríamos en dos años de incesante trabajo. Es una joya que incluso para personas pudientes de este país es costosa de adquirir.

La incertidumbre de saber qué hacer en ese momento fue lo que más ocupó tiempo en mi mirada perdida. Pasaron por mi mente como ráfagas las mil cosas que podríamos hacer con ese dinero... facilitaría nuestras vidas de una forma fascinante.

Luego de discutir por horas lo que haríamos con el collar, decidimos guardarlo y en otro momento decidir qué haríamos con él. Así pasaron dos meses, cada uno con dos trabajos junto a las horas de clase y una vida que cuidar fueron las excusas para evadir el tema ante una decisión que debíamos tomar.

— ¿Debemos entregarlo a la policía? ¿Si llegamos a necesitar ese dinero? ¿Alguna urgencia? ¿Lo vendemos? ¿Lo guardamos?

Fueron días y días de planteamientos, no queríamos cometer un error siendo extranjeros, con un permiso provisional de estancia y todas las oportunidades que con mucho esfuerzo estábamos consiguiendo, un error podría comprometer años de vida. A finales de agosto de ese mismo año, le preguntamos a un amigo de Sergio, un polaco, que tenía un amigo asesor de ventas en una joyería, si podía asesorarnos sobre el precio y finalmente saber si se trataba de una pieza original o no. Nos citamos con el experto en joyería un día jueves, él examinó la joya cautelosamente, la miró de cerca con unos equipos especiales para valorar los quilates y ver si tenía rayas, golpes, antigüedad, etc. En efecto era un ejemplar original, de mucho valor, oro blanco,18 quilates, diamantes únicos perfectamente cortados. Nos dio toda una clase magistral de esa joya que teníamos desde hace un año. El único detalle era que a la cadena le faltaba un diamante, uno solo, algo microscópico que había que estar muy cerca para notarlo.

Dos meses y medio antes de conseguirme el collar, Sergio y yo habíamos comprado boletos para ir a Venezuela a visitar a la familia y ya faltaba una semana para eso. El asesor joyero nos recomendó vender el collar, habiéndole explicado que no somos personas que ostenten lucir una prenda como esa, pero para que nos dieran el precio real, veinticinco mil euros, teníamos que tener un certificado de originalidad así que él nos recomendó una tienda donde podían darnos el certificado, sin embargo, debíamos ir con la excusa de pedir que la pulieran. Ese mismo día decidimos pasar por la tienda solo para preguntar si era posible obtener el certificado de originalidad. Ya el joyero nos había comentado que no era posible saber si el collar era realmente nuestro o no ya que no incluía ningún código ni detalle que pudiese guiarnos sobre el dueño original. Entramos a la joyería de referencia y fuimos con una maleta nueva que horas antes habíamos comprado para nuestro viaje. Era evidente que estaba nueva, no costaba nada rodarla y aún permanecía en su envoltorio de plástico. Al entrar a la tienda rodando la maleta nueva, la primera impresión es el lujo y lo brillante que era cada centímetro de ese espacio. Había una pareja comprando un anillo de compromiso y celebraban con una botella de champaña ofrecida por la tienda a los futuros esposos. Estando adentro, el personal nos miró a Sergio y a mí de arriba hacia abajo, como queriendo dejar en evidencia que no era usual la presencia de personas como nosotros en ese sitio. La chica que nos atendió tenía constantemente una sonrisa en la cara, de esas forzadas sin mucho agrado.

— Hemos traído esta cadena para pulirla y saber si es posible sustituir el diamante restante — Le comenté sin mucho detalle.

Saqué el estuche negro ovalado de mi cartera con incertidumbre, lo abrí y tomé el collar con una mano y lo alcé hasta dejar ver los diamantes. La chica que me atendió se puse las gafas para manosear la cadena entre sus dedos como queriendo establecer el valor de la prenda con solo tocarla.

Me mira a la cara con las gafas puestas más abajo del nivel de sus ojos, dejando ver su mirada:

— ¿De dónde traes este collar?— pregunta con una sonrisa gélida.

— Es una herencia de mi abuela, me lo dejó hace poco más de un año— respondí con serenidad.

Nos preguntó de dónde éramos, dónde vivíamos y nuestros nombres, siempre con la misma sonrisa forzada. Le respondimos siempre con la verdad, excepto sobre el origen de la cadena. El amigo de Sergio, el polaco que nos había asesorado, nos dijo una y otra vez que conocer el origen del collar era imposible pues no brindaba ningún código, numeración ni nombre marcado en ese oro dieciocho quilates.

— El collar necesita un poco de pulitura y también podemos lograr sustituir el diamante restante. Serían 400 euros y estaría listo en 3 días — Nos informó la chica morena con apariencia hindú.

Aceptamos sin dilatar mucho el tiempo. A los dos días, me llaman de la joyería y me dicen que el collar ya estaba listo y que podía buscarlo preferiblemente a las 10:30 am. Les digo que no puedo a esa hora, que podría ir un par de horas luego. Extrañamente me dice que necesita saber la hora exacta que iré y le confirmo que a las 12:30 m. Ese día me preparé mucho mejor, vestí un atuendo un poco más propio de personas que frecuentan esa joyería. Sergio y yo acordamos ir a cenar ese día, quedamos en que yo iría a buscar el collar y él reservaría una mesa en un restaurante cerca de la zona. Al entrar, la chica me saluda con la misma falsa simpatía, entra a una habitación y trae el collar. Efectivamente estaba pulido y había reemplazado el diamante restante. En ese momento la chica insiste en saber nuevamente cómo tengo ese collar:

— Es un regalo que me dejó mi abuela luego de fallecer — Repito las mismas palabras que dije la primera vez.

La chica baja la mirada con intenciones de interrumpir mi historia, me percato que se acercan dos hombres y en ese momento me dice:

— ¿Pues sabes qué? No te creemos.

Los hombres que vestían de civil se acercaron hasta a mí, sacaron unas placas de identificación policial y me informaron que, desde ese momento, estaba bajo arresto por sospecha de robo. La escena aún ronda por mi cabeza, esa memoria de fotografía, ambos hombres, uno a cada lado, y al frente la chica de la joyería que no me miró a la cara mientras eso sucedía. En aquel momento proceden a llevarme a la segunda planta de la joyería donde uno de los policías me dice que esa joya ha sido robada y que necesitan saber cómo había llegado a mis manos. No puedo negar que los nervios me atacaron, sin embargo logré controlarlos, yo no había robado nada y podía explicarlo. Inmediatamente comienzo a decir la verdad.

— Yo esto no me lo robé, lo encontré en la calle aproximadamente hace un año en las inmediaciones del Hotel Plaza Park Westminster, alrededor de las 7:30 pm— respondí con tranquilidad.

— Si esa es la verdad, debe mantenerla. Por los momentos debemos trasladarla a la comisaría para hacerle unas preguntas, máximo estará ahí seis horas— me explica el policía, siempre con respeto.

En ese momento acepté que no estuvo bien mentir en relación al origen del collar pero enfaticé que el resto de la historia era cierta. Me trasladaron en un auto privado, no identificado como policial, en la parte de atrás, acompañada de una mujer vestida también de civil. Nunca me esposaron ni me trataron mal y menos mal porque esa avenida era muy transitada y no era difícil encontrarse con conocidos. Estando en el carro y con el mismo tono calmado y sereno que tuve al inicio, le comento al detective que en la ruta queda el hotel donde me conseguí el collar y ellos, sin mucho interés, me preguntan dónde es y yo los guío. A todas estas había olvidado que Sergio estaba esperando por mí a las afueras de la joyería pero al salir no lo vi. Ya en frente del Hotel Plaza Park Westminster les digo con insistencia:

— Aquí hay muchas cámaras, si de verdad funcionan tienen que conseguir las imágenes con hora y fecha del día que encontré la cadena— Insistí.

Al llegar a la estación policial, dos uniformados me piden que me quite los zapatos y todos los objetos que cargaba conmigo, cosa que me extrañó, pues venía preparada para un interrogatorio de unas pocas horas. Una detective me lleva a una habitación y me explica que debe revisarme todo el cuerpo, me pide que me desnude y empieza a tocar cada centímetro de mi cuerpo, fue en ese momento que el miedo empezó a ganarle a la calma, no pude evitar soltar algunas lágrimas, de esas que caen sin apenas gesticular. Luego de vestirme nuevamente, sigo a la detective por un pasillo largo de paredes grises y me abre una celda, una celda de cárcel, con sus rejas, sus barrotes y me dice que entre. La perplejidad de mi cara no me permitió emitir una sola palabra, solo entré y miré con asombro cómo cerraba la puerta. El sonido al cerrar la celda fue el punto de corte entre mi ya desaliñada calma y aquel llanto descontrolado.

A los pocos minutos me abren la celda y me dicen que debo ir a una oficina a dejar mis datos. Seguía descalza y al salir de la celda miro al piso a ver si mis zapatos estaban ahí cuando logro identificar los zapatos de Sergio, también lo tenían encerrado a él. No pasaron dos minutos hasta que lo sacaron de su celda, vernos llorar a los dos de desesperación fue el momento que marcó el inicio de esta pesadilla. Quise abrazarlo y no me dejaron, no podíamos hablar ni tocarnos. Luego nos guían a una sala donde nos toman las fotos de frente y de perfil, no puedo describir la mezcla de impotencia, asombro y miedo de ese instante, estaba perpleja ante algo que aún no lograba asimilar. La foto la tomaron varias veces porque en todas salía llorando, así habrá sido mi cara de pánico y lágrimas que la foto de criminal que me estaban tomando no era lo suficientemente buena para identificar mi rostro.

Nos explican que debemos pasar por un interrogatorio y buscar un abogado. Mi respuesta fue clara, no teníamos cómo pagar un abogado, no teníamos familia ni apoyo de ningún tipo. Nos ofrecen llamar a un abogado del estado para apoyar nuestra defensa. Para ese momento hablaba muy bien el inglés y, sin embargo, habían términos legales que no entendía, así que me ofrecen un traductor, un chileno muy simpático que, desde el principio, supo que todo era un mal entendido. Durante el interrogatorio estaba el detective que me detuvo, el traductor chileno y yo. Todo grabado, tomaban notas de todo muy lentamente. Repetí la historia, la misma, una y otra vez:

— Fue un collar que me encontré, nunca imaginé que tuviese ese valor, que estaba muy enredada— Repetía la verdad, exactamente lo mismo que siempre dije, una y otra vez.

Me regresan a la celda y en el camino me topo con Sergio y el otro detective dirigiéndose al mismo cuarto de interrogatorio, nos miramos a la cara y le grito en español: "Di la verdad". Me dio miedo pensar que, por temor, Sergio fuese a decir algo diferente a lo que yo dije. A las dos horas de haber terminado el interrogatorio, nos presentan al abogado del estado que defendería nuestra causa. El abogado nos explicó claramente por lo que nos estaban imputando, no era una, no eran dos, sino tres imputaciones por robo y por el valor del collar. Una vez más le digo al abogado lo que ya había repetido tantas veces: "No robé nada". El abogado nos pidió referencias personales, de estudios y sobre nuestra vida aquí. Casualmente, unos días antes nos habían entregado la constancia de notas y de asistencia a las clases de inglés, eran sobresalientes, solo trabajábamos las horas que nos permitían trabajar, así que entregamos todo lo que estaba en nuestras manos para demostrar que éramos ciudadanos modelo, tranquilos, trabajando para pagar todo al día. El abogado nos dio las posibles opciones que podían ocurrir luego de presentar nuestro caso al juez: o nos declarábamos culpables y nos reducían la pena a la mitad, o nos declaraban culpables y debíamos pagar con cinco años de cárcel y, con mucha suerte, ser deportados. En ese momento comencé a recordar mi llegada a este país hace dos años, habíamos venido con ganas de crecer, de dar lo mejor de nosotros a este país y, de repente, me dicen que nos pueden encerrar por cinco años. Mi familia no sabía nada, mis amigos no sabían nada. ¿Cómo iba a llamar a mi mamá y decirle que estaba presa en otro país por supuestamente robar un collar?

Le insistimos al abogado que no nos íbamos a declarar culpables, le insistí que él debía demostrar que éramos inocentes. A Sergio le asignaron una traductora al igual que a mí, la traductora era venezolana y las primeras palabras que le dijo a Sergio fueron vergonzosas, le dijo que por culpa de personas como nosotros los latinos teníamos mala fama, todo eso antes de oír la historia, antes de escuchar nuestra versión. Parecía que ser venezolana le daba licencia para tratarnos a su antojo, muy distinto al traductor chileno que, desde el principio, era notorio el trato respetuoso con nosotros.

El día de la audiencia llegó, estaba tan en shock que no entendía nada de lo que decía el juez, ni lo que decían los detectives, el bloqueo mental fue absoluto, solo podía llorar los minutos previos al momento que podía arruinar mi vida. El juez entra a la sala, interroga a los detectives que nos detuvieron, quienes dieron una versión a favor de nosotros y logra constatar que nuestras versiones eran exactas, calcadas una de la otra sin haber, en ningún momento, contacto entre Sergio y yo. Luego de también verificar que pagábamos nuestras deudas, que estudiábamos y trabajábamos, dijo con claridad y con firmeza:

— Esto se trata de una confusión, la reacción de los acusados fue una acción natural. La curiosidad de conocer el valor de algo que es encontrado no implica delito, deben ser liberados inmediatamente y no debe constar en su expediente este hecho penoso.

Yo sentí que era el mismísimo Dios que hablaba a través de aquel juez, sus palabras fueron impecables. Aquella audiencia duró poco más de 15 minutos, luego nos dejaron salir de la corte como si esa pesadilla de 22 horas no hubiese existido, horas en las que existió la posibilidad, por un error, de estar presos cinco años. Estuvimos dos días ausentes de nuestra vida cotidiana, hablábamos poco, dormíamos poco, el impacto de esa experiencia aún genera alguna que otra pesadilla pasajera en Sergio. Decidimos enterrar esas horas, solo mi amiga supo lo que pasó, nunca le dijimos a nuestros amigos, nunca le dije a mi familia, escribir este relato me ha hecho sudar nuevamente, acelerar mi corazón, me ha hecho dudar ante la tentación de parar y no contar nuestra historia.

Seguimos viviendo aquí, yo empecé la carrera de contabilidad, Sergio se formó como entrenador personal. Somos venezolanos y lo seremos siempre, somos gente de bien y lo seremos siempre, por ahora veo lejana la posibilidad de regresar a Venezuela, este país me ha dado muchas horas de felicidad y satisfacción, más de las 22 que me hicieron tambalearme del miedo.

Comentario:

La odisea de emigrar a otros espacios donde hasta el andar es diferente no está exenta de riesgos. Comparado con la interminable lista de riesgos que existen en Venezuela, emigrar es solo un paseo indefenso para aquellos que hemos sido entrenados por la vida para defendernos hasta del gato del vecino. La suerte de cada cual es un paradigma en el que aún no sé si creer, siempre termino concluyendo que la suerte es consecuencia de actos, causa y efecto, sin más.

Historias como estas nos hacen entender que un error puede ocurrir en el momento indicado a las personas equivocadas. Traigo a reflexión el trato de los venezolanos hacia otros venezolanos en el exterior. Algunos sienten que alejarse de donde vienen implica olvidarse de su origen; he sido testigo de cómo muchos venezolanos asumen una actitud vergonzosa, incluso xenofóbica hacia sus propios compatriotas... con aquellos que siguen tomando el arduo y agotador camino de sobrevivir en otras latitudes.

Laura Pereda • 34 años • Nacida en Caracas, Distrito Capital • Actualmente en Madrid • Diseñadora Gráfica – Ilustradora • Instagram: @lau_ilustra

LA GENERACIÓN VALIENTE

ANÓNIMO 6

Hoy, desde lejos, al ver las noticias no siento más que impotencia, ese crudo sentimiento me hizo dar cuenta de quién soy ahora y, entre lágrimas, comprendí que formo parte de un grupo de venezolanos que algunos llaman "La generación cobarde", la que prefirió marcharse... pero que otros muchos también llaman "La generación valiente", la que tuvo fuerzas para irse y empezar de cero enfrentándose al dolor y a las adversidades tanto o más complicadas que las que se viven en Venezuela. Hoy soy de ese grupo de venezolanos, un grupo que con los días crece más, un grupo que con los días logra sus objetivos. Sé que, al igual que le pasará a Venezuela, mis cicatrices también sanarán y me harán más fuerte. Sé que un día, cuando mis manos ya no trabajen igual y mi cabello esté blanco, cuando esté sentado en mi zaguán, les diré a mis nietos que yo fui parte de ese selecto grupo que resistió desde afuera, de los que nos esforzamos para dejar en alto el tricolor, para llenar de orgullo nuestros hogares que quedaron medio vacíos, los que vivimos con un solo objetivo, volver. Sé que llegará ese día y yo, con mucho orgullo, diré que fui parte de "La generación valiente", valiente como todos, como cada uno de los que luchamos por volver, los que estamos lejos y los que están allá que sienten que perdieron el país que conocían.

Comentario:

En muchos relatores, diría que en la inmensa mayoría, el sentimiento de apego por Venezuela es el gran protagonista. Es separarse estando enamorado. La supervivencia y el éxito de todos aquellos que logran establecerse y avanzar en otros países pasa por construir muros emocionales, limitar la añoranza y no dejar que se convierta en una compañera del día a día. El éxito del emigrante exige inteligencia emocional, comprender la realidad y dominar los sentimientos que mantienen atada la mente sin dejar que esta vuele tan alto como quisiéramos. Que estar de vuelta sentado en un zaguán no sea un muro sino el incentivo para seguir adelante.

José Luis León • 25 años • Nacido en Villa del Rosario, estado Zulia • Actualmente en Maracaibo • Diseñador Gráfico y Artista Plástico • Instagram: @lion_mix

ANÓNIMO 7

AREPAS Y FIDDLEHEADS

No voy a negar que mi sueño más presente, el que más me acompañaba, el que se dormía conmigo y despertaba también, era casarme con él como el de toda muchacha acercándose a los 30 que siente que tiene a un gran hombre a su lado.

Cuando por fin me demostró su compromiso de llevarme de su mano, me sentí la mujer más afortunada del mundo. La alegría de saber que este chamo, mi amor platónico, me estaba pidiendo ser su mujer fue indescriptible, no paraba de sonreír. Nuestro plan era irnos a Canadá, era nuestro secreto, era mi confidente. Los dos queríamos huir, queríamos tener la oportunidad que tiene cualquier pareja en el mundo, trabajar y crecer juntos. Ya teníamos todos los papeles, toda esa odisea salvaje de demostrar que eres un humano común y corriente sin antecedentes penales, pidiendo permiso para ser y estar.

Ya con las visas aprobadas, una semana antes, él decidió no venir conmigo a Canadá, lo dejó todo... Cinco años de relación condenada a perdurar al decidir irnos juntos, al menos eso pensaba. Tal vez fue su oportunidad de oro, tal vez fue la prueba de fuego para él, prueba que yo deseaba enfrentar y que él ni siquiera quiso empezar. Al final yo decidí irme sola, aunque tenía mi mundo en ruinas, no podía demostrarle que él era indispensable para mí. No podía dejar que mi golpeada dignidad se dejara ganar por las ganas de rogarle que siguiera conmigo, que fuese el padre de los tres chamos que queríamos tener pronto, que me diera una oportunidad de ser mejor si había fallado. Moría por enamorarle de nuevo, por conocerle desde cero.

Me fui, me fui con mi cara en alto, sentada al lado de un extraño. Odié ese vuelo, odié cada segundo que pasaba, odié a la azafata, el niño que lloraba, me odiaba a mí misma.

Hoy, cinco años después de la experiencia más intensa de mi vida, puedo decir que, gracias a la crisis que me empujó a buscar nuevos espacios, descubrí con anticipación lo que en cualquier momento iba a descubrir si me quedaba. Hoy soy la Sra. De Taylor, nunca lo busqué, el destino quiso que me montara sola en ese avión, nunca lo planeé, aunque mi mejor amiga diga que logré mi cometido. Ahora en mi casa se come arepas y fiddleheads[1].

Comentario:

Hay puntos de quiebre en los que las decisiones se convierten en obligación. Decisiones, miles de ellas tomadas en los últimos años. Este gobierno ha sido una dictadura política pero también una dictadura en la vida de cada persona que ha hecho cambios radicales bajo la presión directa o indirecta.

Muchas decisiones juegan a favor del azar, algunos le llaman destino, otros simplemente creemos que las circunstancias se amoldan a la realidad. Sea destino escrito en los pergaminos de la vida o azar circunstancial, lo cierto es que son cientos de miles las situaciones y motivos, algunos con final feliz y hasta con fiddleheads.

1. Fiddleheads: Hojas verdes de helecho cuando todavía están por madurar y se encuentran enrolladas. Se cocinan con pollo, patatas y otros vegetales. Este plato es muy típico de Canadá.

Eduardo Sanabria • 46 años • Nacido en Caracas, Distrito Capital • Actualmente en Caracas • Caricaturista y Artista Plástico • Instagram: @edoilustrado

NOTICIA DEL DESTIERRO

Mis padres y yo somos periodistas, trabajábamos en uno de los periódicos más críticos hacia el gobierno en Venezuela. Durante el 2014, como miles de jóvenes venezolanos, decidí irme al extranjero a mejorar el inglés e intentar avizorar alguna oportunidad de vida mejor que la que una periodista como yo tenía en Venezuela. Estando en Dublín, me inscribí en un postgrado en una universidad española que realizaba a distancia y, como proyecto de tesis, escribí una reseña sobre la situación de los venezolanos en Dublín. Era una continua penumbra, decenas de personas se quedaban en la calle, dormían en la calle, pedían comida en centros de refugiados y se organizaban recolecciones de alimentos para poder asistir a todas las víctimas del abandono del gobierno con la entrega de divisas extranjeras que habían sido aprobadas para miles de estudiantes.

En esa reseña, cruda y sin tapujos que escribí para mi tesis, denuncié la realidad de la precaria situación debido al abandono gubernamental. Fui testigo de cómo la desesperación llevaba a muchos a hacer lo que jamás pensaron hacer, estuve frente a frente con el instinto de supervivencia de cada cual que decidió no regresar a Venezuela. Esa reseña para mi tesis de grado, que terminó convirtiéndose en una denuncia pública, fue publicada en Venezuela en el periódico para el que trabajaba mi padre y en la universidad europea, Miguel de Cervantes, en un semanario interno. Causó mucho revuelo, ese artículo fue la voz de miles de jóvenes y sus familiares que pedían a gritos soluciones para esta difícil situación. Pasadas unas semanas de haber publicado mi artículo, me llega una citación de la Fiscalía General de Venezuela por correo, argumentando que debía comparecer a declarar por daños y perjuicios al Estado... una de las tantas excusas prefabricadas del gobierno que tiene para presionar, amenazar y apresar a todo aquel que ose alzar su voz y romper con la sumisión psicológica que en la última década han sembrado en los periodistas. En la citación me solicitaban explicar las razones y motivos por los que escribí ese artículo y comparecer personalmente cuando fuese a Venezuela.

¿Razones y motivos? Es criminal construir un sistema cambiario que controla la vida de los venezolanos y acatar las normas para poder acceder a divisas extranjeras pagadas con nuestro dinero, con nuestros ahorros. Es criminal dejar de recibir esas divisas de un día para otro, sin previo aviso, demostrando que ya no somos prioridad para la patria; ver cómo mis compatriotas adelgazan de hambre y se ven obligados a acudir a los instintos de supervivencia más básicos para poder alimentarse, eso es criminal.

¿Eso amerita una explicación? ¿Qué quiere el estado venezolano que explique? ¿Que soy patriota y defiendo la dignidad y los derechos humanos más básicos de mi gente?¿Que no ser prioridad para la patria es un hecho que dictan unos pocos dependiendo de sus intereses? No señores, no somos prioridad para ustedes, la patria nuestra sí nos necesita y la juventud venezolana es y será siempre prioridad, como lo es en cualquier sociedad que entiende que su mayor potencial es su gente.

Obviamente nunca más pisé Venezuela. Decidí no volver ante la clara amenaza a mi libertad e integridad. En el 2015 me mudé a Barcelona, España, todo esto con un permiso de estudios, pagando cursos para poder vivir legalmente y poder trabajar a jornada parcial. En el 2015, mi papá seguía siendo el director de la página web de ese periódico, fue ese año cuando lo llama un periodista del *ABC* de España, para comentarle que van a publicar una primicia sobre unas declaraciones del ex escolta de un funcionario público que decidió colaborar con la justicia americana, revelando detalles sobre lo que sabía en relación al supuesto Cartel de los Soles y su relación con el narcotráfico en América y Europa.

Le llamaban el Cartel de los Soles porque todos eran militares y hacía referencia a los soles que lleva un militar en sus hombreras cuando se ubica en lo más alto de la escala jerárquica castrense. Ese escolta, el militar de mayor rango que para ese entonces había desertado de las filas del chavismo, fue entrevistado por un periodista del *ABC* de España, publicando sus declaraciones sobre varios implicados en hechos de narcotráfico dentro del gobierno. El mismo periodista español se comunica con varios medios de comunicación en Venezuela para entregar la nota que iba a ser publicada por ellos. Cuando se comunica con el periódico donde trabaja mi padre, este le comentó que no iba a vender el artículo, solo lo enviaba para compartir la primicia en todo el país, cosa bastante común entre periodistas.

Luego de recibir la primicia (un tubazo que iba a tambalear las filas del gobierno como no había pasado en años), mi padre, que tenía la responsabilidad de aprobar lo que se publicara en la versión digital del periódico, decide publicar esta primicia a la opinión pública. El día que salieron a la luz estas declaraciones sobre el supuesto hecho de narcotráfico dentro del estado venezolano, únicamente el periódico en el que trabajaba mi padre publicó el artículo. El resto se dejó ser víctima de la autocensura. Fuentes confiables le aseguraron a mi padre que este funcionario sufrió una fúrica escena donde pedía a gritos buscar al responsable de aprobar la publicación del artículo en Venezuela. Para él debió haber sido un acto de atrevimiento y rebeldía enorme en contra de sus intentos por controlar a los medios y todo lo que estos dicen sobre él. Días después, el periódico recibió una carta solicitando el nombre de la persona que autorizó el artículo en la web, respuesta que no fue entregada, buscando proteger la integridad de mi padre.

Un día de trabajo normal, mi papá se va a casa temprano y, justo después de partir, llegaron cuatro personas del CICPC argumentando que necesitaban saber si el responsable de la versión digital del periódico se encontraba en ese momento. El personal explicó, una y otra vez, que la persona que buscaban no se encontraba ahí. Luego de que los uniformados dejaran el edifico, los compañeros de trabajo llamaron a mi papá para decirle que lo buscaban del CICPC, exigiendo saber quién había aprobado la publicación del artículo y de dónde eran las fuentes de la información publicada. Esta persecución salió en toda la prensa nacional, las amenazas al director del periódico en formato web no paraban. Yo sabía lo que venía, yo sabía que si lograban dar con él iban a encerrarlo justificando cualquier absurda excusa legal.

El sábado siguiente lo llamo:

— Papá van a ubicarte, te van a conseguir, por favor vete, no sé a dónde, sal por Colombia— Le insistía una y otra vez.

Hasta ahora había tratado de ser una mujer fuerte, no había llorado, hasta ahora todo era una preocupación. Durante esa llamada que le hice a papá por Skype, me decía que él no se iba a ir. Caminaba por la casa mientras me hablaba y me enseñaba los pasillos de la casa donde crecí diciendo:

— Mira hija, esta es mi oficina, aquí están mis libros, aquí está mi cuarto, esta es mi casa, yo no he hecho nada malo para huir como un delincuente. Aquí están mis perros, mis cosas, mis recuerdos, mis amigos y mi trabajo. ¿A dónde me voy a ir?

Intentaba convencerme de que no se iría, aunque sabía que también trataba de convencerse a sí mismo. Fue duro verlo ansioso, un tanto desesperado, él que siempre había sido un hombre firme y seguro. Al día siguiente, leo un mensaje que me envía de su móvil: "Apenas te despiertes llámame". Lo llamé apenas vi el mensaje, empezó a hablarme un poco incoherente, no entendía nada de lo que me decía:

— Hija, ¿te acuerdas del chamo de Higuerote? El chamo al que le decías que se fuera... que le dijiste que se fuera a Colombia que allá estaba mejor la cosa, ¿recuerdas? Ese muchacho necesita irse hoy.

Mi papá me estaba hablando en claves, no entendía nada, tuve que pedirle que me repitiera una y otra vez y solo repetía lo mismo. Ahí entendí que me estaba hablando sobre él, que habían dado con él, supe inmediatamente que le habían intervenido el celular y escuchaban todo lo que hablaba. Me estaba pidiendo a gritos que lo sacara de Venezuela. Fue un momento terrorífico, desesperante, mi corazón latía a millón, entré en una especie de crisis nerviosa. Mi mamá me escribió luego un mensaje, necesitaban salir de Venezuela en las próximas horas... habían dado con su nombre y había recibido amenazas por teléfono.

Yo tenía 3000 euros ahorrados para hacer un máster que necesitaba, no dudé un segundo y empecé a buscar billetes de vuelo de Caracas a Barcelona. Me costó muchísimo comprar el pasaje porque la aerolínea no aceptaba el número de pasaporte, llegué a pensar que lo habían anulado. Estuve cinco horas intentando comprarlo, al final tuvo que irse por Bogotá y luego Barcelona. Esa noche recibió una llamada a las 2:00 am de un periodista muy influyente, le dijeron que un funcionario público había ordenado apresarlo como sea.

La mañana siguiente, papá dejó un poder a su hermano sobre la casa y el carro, dejó a los perros en la casa encerrados, que son como sus hijos, preparó una maleta y se fue con mamá. Olvidó sus medicinas, mi papá sufre de migraña crónica, no trajo abrigo, solo trajo un libro de José Luis Borges. Literalmente los echaron del país... papá huyó como huye un delincuente, solo trajo consigo una maleta y un poco de dinero. No puedo describir la sensación de impotencia y terror, era una rabia que me consumía y no me dejaba llorar, no sabía qué hacer.

Mis padres salieron de Caracas a Bogotá y no supe más de ellos hasta que llegaron al aeropuerto del Prat en Barcelona. Fueron las horas más largas de mi vida, no sabía si habían salido de Maiquetía, si les habían permitido viajar o no. Ese mismo día el Sebin fue a la oficina del periódico a buscarlo para apresarlo, unas horas más en Venezuela y la historia sería otra. Llegaron a Barcelona el 24 mayo de 2015, verlos salir por la puerta del aeropuerto me derrumbó, me tumbé al piso a llorar, no sabía si de alegría o de alivio. Cuando uno es joven y sale a buscar alguna oportunidad en realidad no sabe a dónde va a sembrar raíces. Cuando mis papás llegaron supe que me tocaría sembrar raíces aquí, en Barcelona. Yo tengo un país que amo y extraño pero mis papás se trajeron a ese país con ellos. Ahora es aquí. Estando ya en España el dilema era: ¿ahora qué hacemos?

Pedimos asilo político, todos, incluso yo. El asilo, a diferencia de lo que muchos piensan, es terrible. Solo los que han huido de un episodio de psicoterror como el que hemos vivido nosotros, entienden que el mayor peso del asilado son las consecuencias psicológicas. Cuando pedimos asilo político, nos tocó hacer la cola con gente de Nigeria y Siria, veíamos cómo traían un traductor para que pudiesen entender lo que querían expresar. Una de las cosas que más necesitábamos era un Psicólogo, mis papás cayeron en una profunda depresión; mi papá tardó un año y medio en aprender a sobrevivir fuera de su área de confort, ya tenía 60 años y sin trabajo. Yo también estaba deprimida porque veía lo que ningún hijo quiere ver en sus padres, porque veía truncados mis planes... yo tenía que trabajar hasta el peor agotamiento físico y mental para sobrevivir juntos. Recuerdo ir todas las semanas a la oficina de refugiados y asilados donde nos daban la comida. El gobierno español nos ha tratado muy bien y es algo que debo agradecer, pero yo iba desesperada a rogarles que no nos dieran comida:

— Por favor, denle un trabajo a mi papá, no le den comida— les decía con aires de desespero a aquellos que dirigían El Centro de Refugiados.

Tuve que optar por limpiar casas, pasear perros y todo lo que ellos no podían hacer por su edad; tengo dos trabajos y, aunque la familia se ha unido, también se ha fragmentado... hay que mirar desde afuera lo que significa poner a convivir a tres personas en un sitio sin trabajo, sin opciones de vida, dependiendo de la comida que les regalen, eso genera discusiones, es mucha la ansiedad acumulada en una sola casa.

Es injusto irse como un ladrón, huyendo de tu país, no poder despedirte. Aún no nos han dado refugio y no podemos regresar en 10 años a Venezuela, no mientras sigan gobernando. Una cosa es no querer regresar y otra muy distinta es no poder ir, eso genera una ansiedad constante en ellos. Allá lo tienen todo. Mis papás no conocían nada, no conocían los códigos ni la forma de hablar de los españoles. No sabían cómo pedir un café, aquí no se dice "un guayoyo", aquí no se dice "un marrón", tuvieron que aprender a los golpes hasta los más mínimos detalles que una joven como yo ha venido preparada a aprender, pero ellos no. Fue un año y medio horrible, el asilo es terrible, no estás mejor en ningún lado. Psicológicamente nos divide. Estando aquí, la hermana de mi mamá falleció y no la pudo ver por última vez, no se pudo despedir. La indignación es el sentimiento más difícil de manejar, más que el odio, es el sentimiento que genera la injusticia. Aún recuerdo a mamá diciéndome por teléfono, antes de venir a Barcelona, con un tono desesperado y casi gritando sin darse cuenta:

— ¿Si a tu papá lo meten preso quién va a hacer una marcha por él? ¿Con qué dinero vamos a pagar un abogado? ¿Con qué justicia? Mira a Leopoldo López y todo lo que ha hecho su esposa. Si a él no lo liberan ¿qué podemos esperar para tu papá?

Esos recuerdos están todos los días con nosotros, mis papás tienen pesadillas, yo también las tengo a veces. El costo emocional no se compara con ningún costo económico, al final el dinero se puede recuperar con mucho esfuerzo. Si hay algo que quisiera transmitir, y es algo que todos los organismos han olvidado, es el apoyo psicológico, un asilado por psicoterror y persecución no se diferencia mucho de un asilado por terrorismo o por guerra, los daños a la mente son pesados, son los que determinan si una persona puede seguir con su vida o no, establecerse en una nueva sociedad o no. Hay que entender que con 60 años, la acera que hoy caminan mis padres no es su acera... yo tengo 30 años y puedo hacer amigos, mis papás no. La mente queda destrozada y nadie se fija en eso. Al día de hoy, mis padres están mejor, seguimos esperando por alguna respuesta sobre el asilo, es un trámite muy largo. Papá escribe una columna para una revista, nada que le dé de comer pero lo mantiene distraído. Esta experiencia no la merece nadie, no se la deseo a nadie pero vamos a superarlo, vamos a lograrlo juntos y los malos de la historia van a caer, tanta maldad no se puede sostener.

Comentario:

El periodismo en Venezuela ha sufrido la arremetida más salvaje por parte del gobierno, incluso al mismo nivel que el acoso a los disidentes y opositores al régimen. Los periodistas venezolanos han tenido que enfrentarse, no solo al acoso gubernamental, sino también a la delincuencia civil organizada, defensora de los intereses de la cúpula gobernante. En promedio al mes, suceden 26 ataques a periodistas en Venezuela, lo que implica casi un periodista atacado físicamente cada día. Los venezolanos hemos evidenciado la estrategia maquiavélica de censurar a los medios sin hacer mucho ruido. Luego del marcado enfoque mediático que el mundo le dio al cierre de RCTV y que comenzó a catalogar al gobierno como dictatorial, las estrategias de acoso a los medios han evolucionado con el objetivo de hacer cambios poco ruidosos y progresivos que lleven al país a la censura y autocensura por parte de los pocos medios de comunicación que aún quedan.

Acosar a los dueños de medios con multas impagables y luego comprar los canales de televisión, radio y prensa, por parte de testaferros del gobierno, ha sido el modus operandi que ha ido anulando la libertad de prensa en el país. Y, para más colmo, la inteligencia policial es la encargada de armar los casos que luego fungen como motivos de cierre o aprensión de periodistas y directores de medios, muchos de ellos hoy en el exilio.

Fernando Pinilla : 35 años • Nacido en Barranquilla, Colombia • Actualmente en San Antonio de Los Altos, estado Miranda • Caricaturista, Ilustrador y Escritor • Instagram: @fmpinilla

CONTRA CORRIENTE

Entendía perfectamente que mi futuro profesional, por los momentos, tenía sus esperanzas truncadas en Caracas, al igual que mi futuro amoroso. Me sentía atascado, sentía que retrocedía cada día. Fui testigo, en primera fila, de cómo una empresa inmobiliaria en la que trabajaba cerró sus puertas por la situación nacional, lo que me obligó a buscar oportunidades en otros países.

Mi familia y mis amigos eran mi entorno diario, mi influencia emocional. Crecí nadando contra corriente, sorteando las olas más altas que mis propios prejuicios me obligaban a tomar. Siempre supe lo que me gustaba y siempre lo oculté. Venezuela no es el mejor país para salir del clóset ni yo era el más valiente para hacerlo. Me comencé a dar cuenta, luego de haberme mudado a Houston, que mi entorno en Venezuela me dominaba tan constante y sutilmente que apenas era capaz de percibirlo, pero era suficiente para reprimir sentimientos que, con el tiempo, se hacían insostenibles por la fuerza. En muchos aspectos, simplemente actuaba guiándome por la "norma común". Sentir que formaba parte de ese estándar conductual, el de mi familia y mis amigos, calmaba un poco la ansiedad de no estar con quién quería estar. Nadie que no haya pasado por esto entiende lo que significa vivir toda la vida con remordimientos, con temores y alegrías que solo yo podía entender. No quiero hacer de este relato un drama sin sentido, es mi realidad, como la de tantos venezolanos y personas en el mundo.

Me vine a Houston por cuestiones del azar y, por supuesto, por la situación nacional. Entre tantas cosas buenas que me han pasado, creo que aceptarme como siempre he sido, sin esa necesidad vergonzosa de ser quien otros querían que fuese, es la que más alegrías me ha dado. En mi caso, la soledad fue la clave, estar solo conmigo mismo por tanto tiempo me obligó a convivir con mi realidad, sin tapujos ni medias tintas, sin influencias, éramos solo yo y mis prejuicios, conviviendo como siempre pero ahora sin más nadie. Tal vez solo era cuestión de tiempo y coincidió como mi viaje, tal vez no.

Estar fuera de mi entorno me ha permitido abrir la cerradura, me permitió demostrar que el amor no tiene códigos limitantes. Aprendí que la sociedad educada, culta, más allá de sus creencias o convicciones, es clave para poder ayudar a muchos a superar esta etapa. En la Venezuela del futuro cercano, el gran pacto nacional debe ir dirigido al respeto... Al final, si hay algo que nos une es el deseo de ser felices. Soy feliz donde estoy y con quien estoy, espero regresar algún día y espero que mi país esté tan preparado como yo para encontrarnos de nuevo, cada quien nadando en su dirección, surfeando la ola que mejor le parezca.

Comentario:

¿Quién mejor que un venezolano para hablar de practicar la tolerancia? Nuestro país ha caído en los niveles más críticos de división social, partiendo de absurdos fanatismos políticos. La tolerancia y la empatía serán los pilares que reconstruyan una sociedad en paz y en respeto al que piensa diferente en cualquier sentido. ¿Qué ha pasado con Venezuela y la tolerancia hacia grupos sociales minoritarios? ¿Por qué seguimos siendo uno de los países con menor avance social en este tema en la región? Es un debate que tiene que llegar, es un debate que se tiene que dar y los frutos tienen que ir dirigidos a favorecer la convivencia. Lo hacen las grandes y pequeñas naciones, este mundo está encaminado a acabar con los prejuicios, desde los religiosos que tanto daño le hacen al mundo hasta los relacionados con la orientación sexual de cada cual. Cuando nos enfoquemos en lo que de verdad perjudica a un país comenzaremos a ser una nación competitiva.

Kevin A. Quiroz Z. • 21 años • Nacido en Caracas, Distrito Capital • Actualmente en Guatire, estado Miranda • Artista, Ilustrador y Pintor • Instagram: @kevinquirozarte

Y LAS DECLARO: ESPOSA Y ESPOSA

ANÓNIMO 10

Estábamos esperando a las afueras del registro civil Marirose que es mi amiga, hermana, confidente y apoyo, las dos con un vestido hasta las rodillas y un peinado poco trabajado. Nuestra cita era a la 1:00 pm, ese día se casaban 10 parejas, 11 con nosotras. No sabría decir con certeza cuántas de esas parejas eran matrimonios por conveniencia, sin contar el mío.

Soy Ingeniera en Telecomunicaciones y vine a este país (que por seguridad omitiré el nombre) a hacer un máster por un año, un año donde estudié y trabajé. Ese año me gradué de muchos oficios, me hice experta paseando perros a 5 dólares la hora, aprendí a limpiar una cocina en 15 minutos y salir con prisa a cumplir con otros clientes. Aprendí a cuidar bebés, aunque en la entrevista de trabajo fui una experta en el tema. Hice tantas cosas que, por momentos, me sentía como una auténtica máquina multiusos, pídeme cualquier oficio que seguro lo he hecho.

Logré costear parte de mis gastos y ahorré un poco. Aprobé el máster en Telecomunicaciones con excelentes notas. Uno de mis profesores, que era Colombiano, Ernesto, me había planteado la opción de empezar a trabajar en una empresa telefónica, estaba muy satisfecho con mi desempeño y mis años de experiencia en Venezuela. La gran limitación que pesaba en mi pasaporte, como un tonel de acero, era mi visa de estudios. Fue una limitante que le planteé a Ernesto, la respuesta lógica que esperaba escuchar era que la empresa solicitara un permiso de trabajo pero no. La opción de elegir buenos profesionales por parte de la empresa era tan variada que no estarían interesados en hacer gastos adicionales por solicitarme como empleada. Ernesto se convirtió en un gran amigo, solíamos coincidir en los mismo grupos y llegamos a tener la suficiente confianza.

Acabado el año del máster y, por ende, mi permiso de estudios en ese país, llegaba la hora de tomar decisiones.

La más clara era seguir como estudiante, pagar otro curso y permanecer más tiempo aquí, la otra era retornar a Venezuela y la última era quedarme sin permiso alguno. Pensé que esa era la última opción hasta que Ernesto me planteó la opción de casarme y conseguir los beneficios que esto incluye, poder vivir y trabajar como una ciudadana más de este país. En el momento que me lo plantea lo hace con cierto tono jocoso, como una broma con intensión de no serla, un sí pero no. En ningún momento llegó a plantearme algo indecente, Ernesto tenía doble nacionalidad pero ya estaba casado.

Me propuso la idea de casarme con una amiga, de fingir una relación como muchos lo hacen y llegar a un acuerdo. Al principio me pareció una idea descabellada, temerosa. ¿Cómo iba a casarme? ¿Con quién? ¿De dónde iba a sacar el dinero?

La idea comenzó a seducirme, comencé a considerar la opción de casarme con 24 años. Pensé en planteárselo a algún amigo, llegar a un acuerdo, jamás me pasó por la mente engañar a alguien ni casarme por amor, no había tiempo para eso. En el máster hice muchas amistades, una de ellas fue con Marirose, una chica abiertamente homosexual, simpática, siempre alegrando al grupo con sus ocurrencias. Me hice amiga de ella desde el primer día, ella me contaba sus despechos y yo mis amores, compartíamos y estudiábamos juntas.

Aquella tarde de marzo le invité un café a Marirose como muchos otros y le planteé la idea de casarnos. Al principio su cara fue de asombro, luego hubo serenidad y silencio. Yo sabía que ella estaba pasando por un momento económico difícil, así que le propuse pagarle. Yo hablaba con la seguridad que tiene una persona con muchos ceros en su cuenta, nada más distante de la realidad. Lo cierto es que tenía lo suficiente para vivir un par de meses y un poco más. Ella se tomó la propuesta muy en serio, su mayor justificación era que no pensaba casarse con alguien por amor, por lo menos no en aquel momento. Marirose se ofreció a hacerlo como gesto de amistad, sin pedir nada a cambio, sin embargo no quise. Era una decisión que iba a exigir mucho compromiso, mucho riesgo de que desertara de la idea en cualquier momento. Le insistí que si llegábamos a un acuerdo, ambas deberíamos obtener algún beneficio, fue lo más sensato e inteligente de mi parte. Le comenté a Ernesto aquella posibilidad y le sugerí la idea de que me prestara el dinero para concretar aquel acuerdo. Ernesto era profesor de la universidad donde hice el máster y director del área comercial de la empresa donde optaba el trabajo. Le dije que de concretarse todo y empezar a trabajar, luego de obtener los permisos necesarios por ser esposa de una ciudadana de este país, iba a pagarle la mitad de mi salario por el tiempo necesario hasta devolverle el dinero.

Ernesto no puso obstáculos, tenía la garantía de que iba a trabajar a su lado y me conocía como una persona responsable y honesta. Pasaron las semanas y Marirose aceptó la propuesta de matrimonio, jamás me imaginé decirlo con tanta naturalidad. Me iba a casar, sin amor de por medio, sin alegrías ni familia. Me iba a casar y no iba a ser nada como lo soñaba. Desde el principio me mentalicé que no se trataba de una boda, era un acuerdo, un simple acuerdo que tenía inicio y fin. Desde ese día acordamos parecer una pareja. A los ojos de nuestros amigos éramos amigas y nada más, pero entendíamos la necesidad de vivir juntas y frecuentar más de lo normal. Ella seguía con su vida amorosa y yo con la mía. Compramos un par de anillos de compromiso e iniciamos todos los trámites y documentación, desde el principio separamos bienes y pusimos reglas a nuestro acuerdo, nadie podía saberlo más allá de Ernesto, ella y yo.

Teniendo fecha para la entrevista donde nos hacen preguntas por separado a cada una, comenzamos a estudiar con afán la vida de cada una, los nombres de nuestros familiares, nuestros gustos culinarios, el lado de la cama en el que dormía cada cual, nuestras fechas de noviazgo, el sitio donde nos conocimos, los regalos que nunca nos dimos... Llegamos a conocernos tanto que podría escribir un libro entero sobre ella y ella sobre mí. El día de la entrevista fue terrible, los nervios me invadieron pero conservaba la calma. Ella entró primero, estuvo casi una hora adentro. ¿Qué tantas preguntas se pueden hacer en una hora? Seguro que en alguna íbamos a fallar. Cuando ella sale de la oficina donde fue entrevistada, se acerca, me da un abrazo y me dice entre dientes en el oído: "Zapatos verdes". ¿Zapatos verdes? ¿Qué significaba eso? Suponía que era la respuesta de alguna pregunta pero ¿de cuál? Mi entrevista duró una hora también, aunque pareció una eternidad, todas las preguntas las respondí con seguridad excepto la última:

¿Cuál fue el último regalo que su pareja le dio?— Pensé unos segundos como fingiendo hacer memoria entre tantos regalos recibidos: "Unos zapatos verdes".

Fue una entrevista perfecta, con respuestas perfectas. Lo habíamos logrado, teníamos fecha para la boda. El reto ahora era conseguir un par de testigos, por mi parte iba a ir Ernesto, por parte de ella iba a ir una amiga que al final no pudo ir y tuvimos que correr a última hora a conseguir un testigo confiable. Marirose tenía una amiga dominicana a quien le había contado sobre el matrimonio. Fui una noche antes de la boda a conocerla, nos citó en su bar, un lugar a donde solían ir latinos.

— Aura, un placer mamita— Me dijo aquella morena con curvas generosas, cargando una cerveza en la mano y unos collares de colores. — Mira, quédate tranquila que Marirose y yo somos como hermanas, todo va a salir bien— Insistía con la calma de una mujer experimentada.

El bar de Aura era todo menos un aura, pero eso no importaba, teníamos al testigo que hacía falta unas horas antes de la boda. Estando en el registro civil a las 12:00 pm, mientras parejas entraban y salían con la alegría de dar el paso más importante de sus vidas, nosotras hablábamos de cualquier tema que amenizara ese momento de tensión. Me pasó por la cabeza no hacerlo, irnos y olvidarnos de esa locura pero ya habíamos logrado sortear todos los obstáculos, no iba a tirar la toalla a última hora. La ceremonia no duró más de cinco minutos, fue un acepto y un beso que ya habíamos planificado sin práctica. Salí de ahí siendo una ciudadana, salí de esa sala teniendo derechos. Luego de obtener los permisos necesarios para trabajar, empecé en la empresa telefónica siendo el último mono de la jungla y logré ser subdirectora en ventas con mucha paciencia, esfuerzo, respeto, dedicación y constancia. La experiencia que traía de Venezuela fue indispensable y logró hacerme escalar más rápido de lo que pensé.

Soy una ciudadana más que paga impuestos, que contribuye con este país, que contribuye con una empresa que le da trabajo a miles de familias. Todos los días pongo en alto el nombre de mi país. Hoy soy una mujer divorciada, con alegrías y desaciertos, con éxitos y derrotas. Aprendí que la vida es una selva con depredadores, retos y aventuras. Aprendí que sobreviven los más fuertes, los más inteligentes. No me siento orgullosa de haber acudido a una herramienta que facilitara todos los logros que con méritos propios he logrado, pero tampoco me da vergüenza contar mi historia. Nunca engañé a nadie, por lo menos no fingí amor para casarme, nunca le hice daño a nadie. Hoy estoy con mi familia en este país que ha sido mi gran y hermosa oportunidad, lo valoro y respeto tanto como a Venezuela, aunque algunos puedan pensar que hacer lo que hice no es el mejor gesto de respeto, yo sigo entendiendo la vida como lo que es, una selva donde el más fuerte sobrevive.

Comentario:

Ser inmigrante es una aventura cuyo resultados depende del aventurero que la afronte. A muchos venezolanos les ha tocado ingeniárselas, como cualquier otro inmigrante, ser ciudadanos de bien. Ser ejemplares para la sociedad que nos recibe debe ser una norma universal que todos apoyemos. El respeto y la honestidad llevarán cualquier aventura a buen término.

Miguelángel Martínez-Ruetter • 39 años • Nacido en Caracas, Distrito Capital • Actualmente en Caracas • Artista Plástico • Instagram: @mruetter

COMO ÁRBOL OTOÑAL

ANÓNIMO 11

5: 00 am, suena el despertador, aunque ya estaba despierto desde hace una hora. Despierto a mi esposa y luego voy a despertar a Ernestico. Preparo café para todos mientras veo las noticias en el teléfono. ¡Qué irónico, en el teléfono! El televisor aquí apenas lo usamos en casa, cuando quiero engañar a mi mente sobre la realidad lo enciendo. Hoy era un día difícil de engañarme a mí mismo, teníamos ya 8 meses solos mi esposa Geraldine, mi hijo Ernesto y yo, Román.

No voy a negar que, en los limosos años, muchos venezolanos hemos pensado en la soledad, sobre todo al considerar dejar atrás la vida que hemos armado, pieza por pieza. "Dejar atrás" es una frase contradictoria, los que se van solo dejan atrás un espacio medido en kilómetros, pero están más aquí, viviendo el presente de su sitio natural. En las redes, que se han convertido en el noticiero matutino de todo venezolano, informan que las protestas siguen luego de que el gobierno, en unión pandillera con el TSJ, decidiera suspender al parlamento. Geraldine pasa por la cocina a agarrar su café e interrumpe el silencio que ya los grillos habían empezado a romper.

— ¿Vamos a llevar el niño al colegio?— pregunta Geraldine con todo conflictivo.

— ¿Y a dónde lo vamos a dejar si no lo llevamos?— respondo apaciblemente.

— No sé Román, tenemos que resolver. No es un día para inventar.

Ese día era el primer evento que organizábamos como empresa mi esposa y yo, y no íbamos a poder buscar a Ernestico al colegio. Aquí no tenemos a nadie, algunos conocidos pero nadie que pueda ayudarnos con el chamo. Decidí delegar alguna función que quería hacer yo mismo para el evento y así poder buscar a mi hijo al colegio, cosa que me tomaría unas dos horas para luego traerlo conmigo al evento hasta que saliera, no tenía otra opción. Mis padres eran un gran apoyo cuando estábamos juntos, cuidaban al niño siempre y no nos preocupábamos mucho cuando el trabajo nos limitaba. Dentro de todo lo malo que estamos viviendo, la empresa de eventos es una buena oportunidad para avanzar.

Ernestico tiene ya 11 años y a él también le han afectado tantos cambios, sobre todo la distancia con sus abuelos, tíos y primos. Tiene algunos amigos en el colegio pero no parecen generarle alguna emoción. Geraldine cada día está de peor humor, son pocas las veces que la he visto relajada o sonriente en los últimos meses como solía ser antes. Y yo, bueno yo trato de almibarar un poco el ambiente, insistiendo que esto es temporal, que vamos a mejorar... a mí también me afecta mucho pero me ha tocado ser el fuerte, el que sonríe, el que usa un falso optimismo para mantener a mi familia a gusto. Yo también estoy triste, aunque mi rostro no lo exprese, necesito conversar, necesito expresar y contar lo que es mi vida actualmente.

Mientras escribía esto me llamó mi madre, suele llamarme casi todos los días, me pregunta lo usual, el día a día, me pregunta cómo está la situación por aquí. Siempre respondo lo mismo: un corto y desabrido "bien" para no darle largas a la conversación. Ella me comenta que está bien, que está deseosa de vernos de nuevo, siempre me dice para ir a verla, siempre le digo lo mismo. Esta etapa es difícil para todos, estamos tratando de pagar algunas deudas y de ahorrar, sobre todo por Ernesto, yo sé que aquí no tiene las mejores oportunidades del mundo para ser quien quiera ser, pero tiene unos padres que trabajan duro para darle lo mejor.

Salimos de casa temprano, dejé a Geraldine en nuestro pequeño negocio de ventas de papelería, dejé a Ernestico en su colegio y seguí mi camino al trabajo sin mucho retraso. Durante una jornada normal, en medio de un pequeño receso, me escribe mi hermano menor, está casado y esperando su primer hijo, me pregunta sobre la situación aquí, le pregunto sobre la situación allá, él nunca ha sido un criticón ni quejicas de todo como yo, creo que nació con la virtud del optimismo inagotable. Me comenta que le va bien, que su esposa está trabajando y que han podido tener su propio apartamento con un par de años de trabajo. En medio de esa conversación veo una foto de mi hermana celebrando su cumpleaños la noche anterior con algún amigo y un pedazo de torta con una vela y un mensaje: "Un año más de vida, un año más sin los míos, un año menos de espera para vernos otra vez".

Al final de aquel día, la vida se encargó de hacerme resumen de los que más amo, me recordó que estamos un poco solos y, a diferencia de la mayoría, son ellos los que se han ido... son mis padres lo que están en Panamá, es mi hermana la que está en Colombia, donde mi suegra que la ha ayudado a instalarse, es mi hermano el que está en Estados Unidos y soy yo el que sigue en Venezuela. Somos nosotros lo que aún nos cuesta pensar una vida en otro sitio. Ha sido la separación tan dispersa de mi familia la que nos ha afectado un poco, es eso lo que tiene a Ernestico desanimado y a Geraldine malhumorada. Nuestro negocio es cada vez más cuesta arriba, comprar productos importados y pretender sacarles alguna ganancia es una odisea peligrosa y mi trabajo es cada vez menos gratificante.

Hace unos meses le compré a un amigo una agencia de festejos en Caracas, para él ya no era un negocio sustentable y prácticamente me lo regaló, yo vi ahí una oportunidad de crecer, me dio oportunidad de pagarlo poco a poco. Nunca pensé ser dueño de un negocio como este pero veo que me ha tocado, como a muchos emprendedores, ser vendedor de pañuelos en los velorios. Yo sigo mirando dentro de mis fronteras, aprovecharse un poco de la situación tampoco implica tener malicia, simplemente entender que se puede ocupar el espacio que los demás dejan. Quizás, en poco tiempo, todo este caos se solucione o probablemente pronto estemos también en otro sitio, reciclando mi obligado optimismo. Solo quería contar esta parte de nuestra vida: no solo los que se han ido se han quedado solos, algunos sin haber dado un paso en la distancia hemos visto cómo la familia se deshoja como un árbol otoñal que primero apaga su verdor y luego se deja desnudar; un árbol otoñal que va a volver a reverdecer y a florecer, y que, por mucho viento en contra que sople, sus raíces no lo dejarán caer.

Comentario:

Este relato nos muestra una de las tantas historias de un venezolano que, sin haber entrado en un avión rumbo a otro país, comienza a tener de inquilina en su casa a una soledad que llega a cuentagotas. No tengo claro cómo va a ser el futuro para tantas familias que este gobierno dinamitó y dispersó por todo el mundo. De tanto daño que hemos recibido como sociedad, creo que el más irreparable, el irreemplazable, es el tiempo que no se recupera al lado de la familia. Es admirable el esfuerzo de aquel que, en contra corriente, logra hacer de las adversidades nacionales, grandes logros. De seguro, cuando llegue el momento de la recuperación, estos venezolanos que han "aprovechado" la época de gallinas flacas, lograrán sus metas y verán frutos.

Jorge Luis Torrealba Marín • 26 años • Nacido en Punto Fijo, estado Falcón • Actualmente en Miami • Caricaturista • Instagram: @jorgetorrealba

ANÓNIMO 12

¡AY VENEZUELA!

Escribir mi historia es recordar los peores momentos de mi vida, es revivir mis peores etapas. Crecí en una familia de pueblo común, soy de Guárico, estudié Derecho como mi papá, me fui a Caracas a ser "exitosa", me enamoré de un gran hombre, alguien que, lejos de ser perfecto, era la persona que llenaba mis días mucho más que mi media naranja.

Me casé en septiembre del 2014, enamorada, como una princesa y con planes de irnos como muchos, por miedo a ser un número más de las estadísticas criminales. Para ello, reunimos por varios meses y pudimos comprar los boletos a Bogotá a probar suerte, sin planes claros. Logramos comprar el boleto para celebrar mi cumpleaños que era el 30 de abril y nuestro 5to. mes de matrimonio unos días antes, el 27 de abril, así que decidimos pautar la fecha para el 24 de abril.

Yo tenía un buen trabajo en Venezuela, no era el mejor pero me alcanzaba para pagar mi apartamento. Mi esposo igual, éramos un buen complemento el uno con el otro. Estando fuera de Caracas por cuestiones laborales, dos días antes de viajar a Colombia, me llaman para darme la peor noticia de mi vida, nunca lo olvidaré:

— Es para informarle que al Sr. Samuel lo hirieron durante un atraco— Me dijo algún desconocido del hospital.

Como cualquier persona en mi lugar, lo que me preocupaba era saber si estaba bien. Me fui a Caracas lo antes posible, al llegar al hospital, en la entrada de la urgencia, el médico me dijo tomándome de las manos: "Lamento decirle que su esposo falleció". Esas palabras aún resuenan en mi cabeza, 1 año, 7 meses y 5 días después, es una frase que vive conmigo, la pienso, la repito entre labios, en sueños.

Me vine a Bogotá literalmente temblando de miedo, con un álbum de fotos y un vídeo de bodas que mi esposo no logró ver y que yo tampoco me atrevo a ver por completo. No ha sido fácil vivir tantos cambios seguidos en mi vida, pasar de ser casada a viuda, de ser abogada a ser entrenadora personal, de ser ciudadana a ser indocumentada. No ha sido fácil pasar de tener lo suficiente para ser feliz a no tener nada en Colombia. Son muchos los sueños que se fueron, no sé a dónde, solo desaparecieron, se esfumaron, se fueron con un país que no creo volver a recuperar... "Ay Venezuela, ¿a dónde te fuiste?. Te extraño chica".

Comentario:

En las sociedades en las que, en términos generales, su gente tiene que sortear su suerte, desarrollar habilidades particulares para cumplir sus objetivos básicos, tener que andar por caminos verdes ya que el camino de la legalidad no les permite el paso para desarrollar las aspiraciones legítimas, es cuando evolucionan la anarquía, la delincuencia, la criminalidad y la corrupción.

En Venezuela esta anarquía ha estado en nuestro entorno desde hace décadas, no podría culpar a alguien o alguna etapa en particular, solo sé que está sembrada en parte de nuestra gente, en nosotros, en lo más profundo del subconsciente. Lo cierto es que, en los últimos años, ha estado nutrida y alimentada bajo la mirada complaciente del estado. Revertir el problema de la delincuencia va a requerir décadas, parte de una generación entera ha crecido viendo cómo el delincuente es el jefe, el que se lucra con el único esfuerzo de cargar un arma... esos son los nuevos criminales, jóvenes cada vez más jóvenes son los dueños de la calle en Venezuela. Llegará el momento en el que la justicia deba ser reformada para hacerla más rigurosa, inflexible y severa.

La seguridad no se siente, se supone que existe, se supone que está, no es obligatorio apreciarla. Nos hemos convertido en una sociedad hiperalerta, sensible, obligados a conocer bien cada cuadrante de nuestro entorno, a refugiarnos de los fantasmas que asechan nuestras calles, a los que invaden nuestras vidas y la han destruido... ellos han logrado convertir muchas vidas en solo recuerdos, fotos de algún álbum, nostalgia sin rumbo.

Arianna León Uberti • 27 años • Nacida en Caracas pero criada en Maracay, 100% maracayera • Ilustradora • Instagram: @ariuberti

MI FELICIDAD SIN VENEZUELA

ANÓNIMO 13

Me preocupa tanto lamento en este espacio. Sé que es una forma de desahogo entre los que compartimos el exilio, pero no sé si sentirme culpable de no sentir tanto dolor como otros. Igual aquí va mi relato.

Los que están a punto de salir también merecen un relato que los aliente, porque nadie quiere irse para seguir sufriendo, aunque las causas sean otras. El desapego es, sin duda, el equipaje más importante de todos los que uno trae, aceptar que nos vamos y que no sabemos cuándo regresemos (pero ACEPTARLO DE VERDAD) nos va a hacer el camino más fácil. Abrirnos a descubrir una nueva cultura, aprender a no juzgarla y, con el tiempo, a no compararla con la nuestra.

Entender que los otros países también son buenos, con gente valiosa y solidaria, apreciar sus virtudes, aprender sus costumbres y adaptarnos a su estilo de vida.

A pesar de las dificultades, tenemos que ver lo afortunados que somos de haber sido entrenados en Venezuela para situaciones como esta. ¿Recuerdan cuando en el colegio teníamos un amiguito italiano, árabe, español, portugués o chino? ¿Fuiste tú uno de ellos? ¿Fue tu vecino, amigo o el dueño de la panadería de confianza? Ahora somos nosotros quienes cumpliremos ese rol y nos toca enamorarnos de nuestros nuevos países como lo hicieron todos esos extranjeros en Venezuela, cuyos hijos se sienten orgullosos de ser venezolanos.

Emigrar es una lección constante, una búsqueda incesante de comodidad. Yo, sin ninguna culpa, puedo decir que pocas veces he sido tan feliz como ahora que no estoy en Venezuela, y claro que añoro muchas cosas, sabores, olores, caras. Claro que extraño a mi familia y amigos más cercanos, claro que lloro de vez en cuando, pero no por eso quiero regresar, no ahora, porque descubrí que uno encuentra su casa afuera, cuando aprendes a agradecer esa oportunidad de vivir y disfrutar nuevos lugares, sabores, palabras, rostros y costumbres. Y es que solo los que aprenden a agradecer, encuentran la paz que buscan dejando el país.

Comentario:

El rol repetitivo de la historia nos anima a entender que todo lo que sube, cae y todo lo que cae puede volver a subir o seguir cayendo más profundo. La velocidad del deterioro de nuestro país tiene que ser la misma con la que vuelva a tomar vuelo. Un grupo importante de los emigrantes venezolanos son hijos y nietos de inmigrantes, fueron esas naciones las que cayeron hasta tocar fondo y hoy son los países donde el progreso y el desarrollo, a su ritmo, generan calidad de vida.

Caer es necesario en todos los aspectos de la vida, el que no cae no siente la euforia del alza, no entiende el valor del esfuerzo. Constantemente me pregunto si siempre es necesario caer tan hondo para resurgir. Esta es una pregunta que tendrá respuesta en su momento, yo no deseo que sean mis nietos los que regresen a Venezuela, quiero ser yo el que pise nuevamente mi país, queremos ser todos.

Simón Bustamante • 23 años • Nacido en Caracas, Distrito Capital • Actualmente en Caracas • Modelador 3D / Artista Digital • Instagram: @simonbusta

DE GUAYABO A ÉXITO

ANÓNIMO 14

Me fui de Caracas en abril de 2013. Tenía un novio que se fue a estudiar a Chicago y comenzamos una relación a distancia. Hablábamos todos los días, veíamos películas juntos vía Skype, él la ponía online y yo la compraba pirata y le dábamos *play* al mismo tiempo, dormíamos vía Skype, nos despertábamos vía Skype. Vino a visitarme varias veces, yo fui también a visitarlo y, sin querer queriendo, la cosa se fue poniendo cada vez más intensa.

Parece que mientras más le huyes a algo más lo atraes y, en este caso, yo no quería tener una relación a distancia porque ya sabía lo complicado que era. Luego de un año y medio de relación, los viernes eran complicados. Yo lloraba, lo extrañaba mucho aunque nunca lo había tenido como tal porque empezamos a salir justo antes de que se fuera del país. Me pegaba mucho. Toda la semana estaba feliz, ocupada, trabajaba y luego hablábamos por Skype hasta quedarnos dormidos, pero los viernes... eso era otra historia. Los viernes a golpe de las 5 de la tarde, me caía la depre: "¿Que qué vas a hacer tú, que qué voy a hacer yo? Quiero que estés aquí..." Iba a cenar a casa de una amiga y todos me preguntaban por mi novio, que parecía más un amigo imaginario porque nunca estaba conmigo. Siempre por cel pero nunca en persona.

Luego de mucho pataleo, me tocó decidir. La última vez que lo fui a visitar, pasé por una escuela de creativos para ver qué tal era el programa. La chica que atendía era una americana muy simpática, me mostró las instalaciones y me contó que los profesores eran directores creativos de agencias de publicidad de Chicago y de allí salí con su dirección de correo a Venezuela. Renuncié a mi trabajo de Redactora Creativa e hice la temida carpeta de Cadivi. No estaba muy segura de irme sin Cadivi aprobado, tampoco estaba segura de dejar mi trabajo y mi familia. La cosa no estaba tan horrible como ahora, pero recuerdo que mi sueldo eran 6.000 Bs y eso alcanzaba para pagar un tercio del pasaje. Compré el pasaje y, un día antes del viaje, me llegó el email de Cadivi rechazándome la petición. Cambié el pasaje, fui al Ministerio de Relaciones Exteriores a hablar con la secretaria del ministro a ver por qué me lo habían rechazado. La señora muy amable buscó entre las carpetas y encontró la mía. Cometí un error al llenar la planilla, puse que era un curso especializado y tenía que haber puesto que era un postgrado. Ella no me dio seguridad de que me lo aprobarían pero tuve que hacer lo que se hace en momentos de incertidumbre, confiar en que todo iba a salir bien.

Llegué a Chicago a empezar de cero. Empecé la escuela, pasaron tres meses y aún no me habían dado respuesta de Cadivi. En USA no puedes trabajar como estudiante de manera legal. Ya estaba muy desesperada y mandé a mi mamá al ministerio. Habló con la misma señora y le preguntó: "¿Está segura de que están aprobando las carpetas de Cadivi?" A lo que ella le respondió: "Lo único seguro es la muerte". La fe es una de las cosas que tuve que practicar, así como mi inglés.

Yo había estado en Londres unos meses y aprendí inglés con mis amigas del colegio traduciendo canciones de los Backstreet Boys y viendo Friends. Cuando me preguntaron en inmigración con quién me quedaría yo respondí bien y lo hice orgullosa de mi nivel de inglés. Pero una cosa es el *small talk* en el aeropuerto y otra es hacer una presentación de una idea creativa en inglés. No es lo mismo hablarle brevemente a un extraño sobre su perrito que explicar el problema de inflación de tu país. Recuerdo que los primeros tres meses llegaba a casa llorando después de clase porque me sentía como Tarzán. No podía expresarme con gracia; podía hacer reír a la gente como siempre lo he hecho, pero no de la manera que quería. No era yo misma. Era una yo pero con palabras de más y unas frases extrañas. Luego pasé por esa etapa en la que el inglés mejoró y me sentía más gringa que nadie y le pedí a mi novio que me hablara solo en inglés para no perder la fluidez. También le pedí a mis amigos nuevos que me corrigieran; los americanos son muy *polite* y, para ellos, eso de corregirme les parecía de muy mal gusto. Luego entendieron mi petición e hicieron caso.

Ya estaba sintiéndome más cómoda con el idioma... Hacía uno que otro chiste, un juego de palabras, alguna rima. Todo iba bien hasta que pasó eso que le pasa a la gente cuando se sumerge en un idioma extraño: se te olvidan las palabras. ¡Sí, se te olvidan! Pasa como una especie de amnesia cognitiva donde no sabes hablar bien ni el inglés ni el español. A una amiga nueva, que era de México, le pasaba lo mismo. Nos sentíamos brutas, pero no hay nada que el tiempo no pueda curar. Luego de un año y pico tocó conseguir pasantías. En estas debes vender tu talento, de tal manera, que la compañía te quiera tanto hasta el punto de darte una visa de trabajo.

Normalmente, a todos los estudiantes extranjeros, les dan un año para hacer pasantías, pero como mi postgrado no era universitario, me daban solo tres meses de pasantías. Necesitaba conseguir, en tiempo récord, una agencia donde necesitaran una redactora bilingüe de publicidad. Yo ya tenía cuatro años de experiencia pero, lamentablemente, cuando llegas a un país tu carrera se resetea. Tuve que empezar de pasante y me fue bien, recibí dos ofertas de trabajo. Una la rechacé porque debía esperar un año para que me saliera la visa y en la otra compañía les pedí que me sacaran una visa J, que es de intercambio y sale mucho más rápido que la de trabajo. Al año y medio, se acabó la visa J. La chica de Recursos Humanos me llamó a su oficina y pensé que me hablaría de renovación de visa. Yo estaba recién llegada de vacaciones en Venezuela y me dijo que el departamento hispano de la agencia cerraría y que ya no necesitarían de mí ni de mi compañero. Sentí un balde de agua helada en la cabeza. Cuando iba a empezar a convulsionar de la desesperación, me dio un sobre y me dijo: "Aquí tienes una visa de trabajo por tres años, te la sacamos el año pasado. No entiendo por qué nunca te llegó". Toda la ansiedad desapareció y se convirtió en alegría. La abracé y me fui más feliz que el primer día en el que llegué. Me imagino que nunca me lo dijeron para que no me fuera de ahí. Llamé a la primera agencia donde hice mis pasantías y les dije que tenía una visa de trabajo por tres años. Me hicieron la oferta a las tres semanas.

En USA a las mujeres les pagan 25% menos que a los hombres. Si eres latina te pagan aún menos, pero cuando estás buscando visa de trabajo, esas cosas no entran en negociación o así lo creía yo. Ahora lamento no haber negociado mejor mis opciones, pero mi novio siempre me termina diciendo que hice lo mejor que pude con lo que tenía en el momento. Ha pasado exactamente un año desde que comencé en el nuevo trabajo y he tenido oportunidades que no había tenido en ningún otro lado, ni siquiera en mi país. Quizá si me hubiese quedado estuviera de Directora Creativa o hubiera creado algo propio. Tal vez me hubiera ido a Europa. Creo que toda decisión tiene su riesgo, pero mientras más grande sea la visión, menos limitantes te pone el futuro. Aposté por la carrera y no por la recompensa inmediata.

Con mi novio las cosas se pusieron color de hormiga. A los tres meses de mudarme a Chicago ya yo había hecho la maleta para irme. Conversamos y tratamos de arreglar las cosas. Teníamos mucho que madurar y poca humildad. Al año terminamos y me mudé con mi mejor amigo de la escuela mientras conseguía un sitio dónde vivir. Él es gay e improvisador. Yo hiperactiva y reflexiva. Éramos una bomba. Cada mañana cantábamos canciones antes de ir al trabajo. Conseguí una casa bella con otras dos *roommates* americanas. Me mudé. Mi inglés mejoró, la relación con mi ex también. Volvimos luego de 4 meses separados y al año nos mudamos juntos otra vez. Llevamos casi dos años viviendo juntos y siento que estamos en el mejor momento. Pudiera contar más de esta relación, pero quisiera pasar a mi relación con Venezuela.

Ahora veo las marchas y siento dolor. Ya han pasado cuatro años desde que la dejé. El dolor mutó. Dejé de seguirla porque me llenaba de rabia. Si me quedaba mirándola no podía seguir adelante. Es una decisión que tomé y llevo mi venezolanismo a todas partes. Educo a los choferes de Uber sobre Chávez, porque muchos son de África y, al parecer, allí le rinden pleitesía. Les cuento a mis amigos americanos lo que significa vivir allí y llevo mi gorra a los juegos de béisbol para que la gente se familiarice con nuestros colores. La relación con ella pasó por varias etapas y, cada vez que vuelvo, vuelvo contenta, ella me trata bien. Hicimos las pases, ya no me siento culpable por aceptar las oportunidades de este nuevo país y ella ya entiende que estoy aquí haciéndola quedar bien. Es una relación sana, ya no me da ansiedad y ya no siento que le monto cachos. Primero fue sábado que domingo. Ella siempre será mi tierra. Ojalá pronto pueda llevar a mis amigos para que entiendan porqué la quiero tanto.

Comentario:

Las alegrías de todos aquellos que han emprendido el arduo camino de lo desconocido se mezclan, muchas veces, con la nostalgia de no poder compartirlas con quienes más se quiere. La satisfacción que genera lograr lo que nos proponemos nos mantiene vivos y forma parte del combustible de vida necesario en situaciones como las que vivimos cientos de miles. Cada pequeño logro de cada venezolano significa un gran triunfo para todo un país, una buena referencia, un trabajo bien realizado y una merecida victoria que engrandecen, desde lo pequeño, a todo un país.

Raquel C. Colmenares Ross • 20 años • Nacida en Caracas, Distrito Capital • Actualmente en Caracas • Ilustradora y Bailarina • Instagram: @rachuc

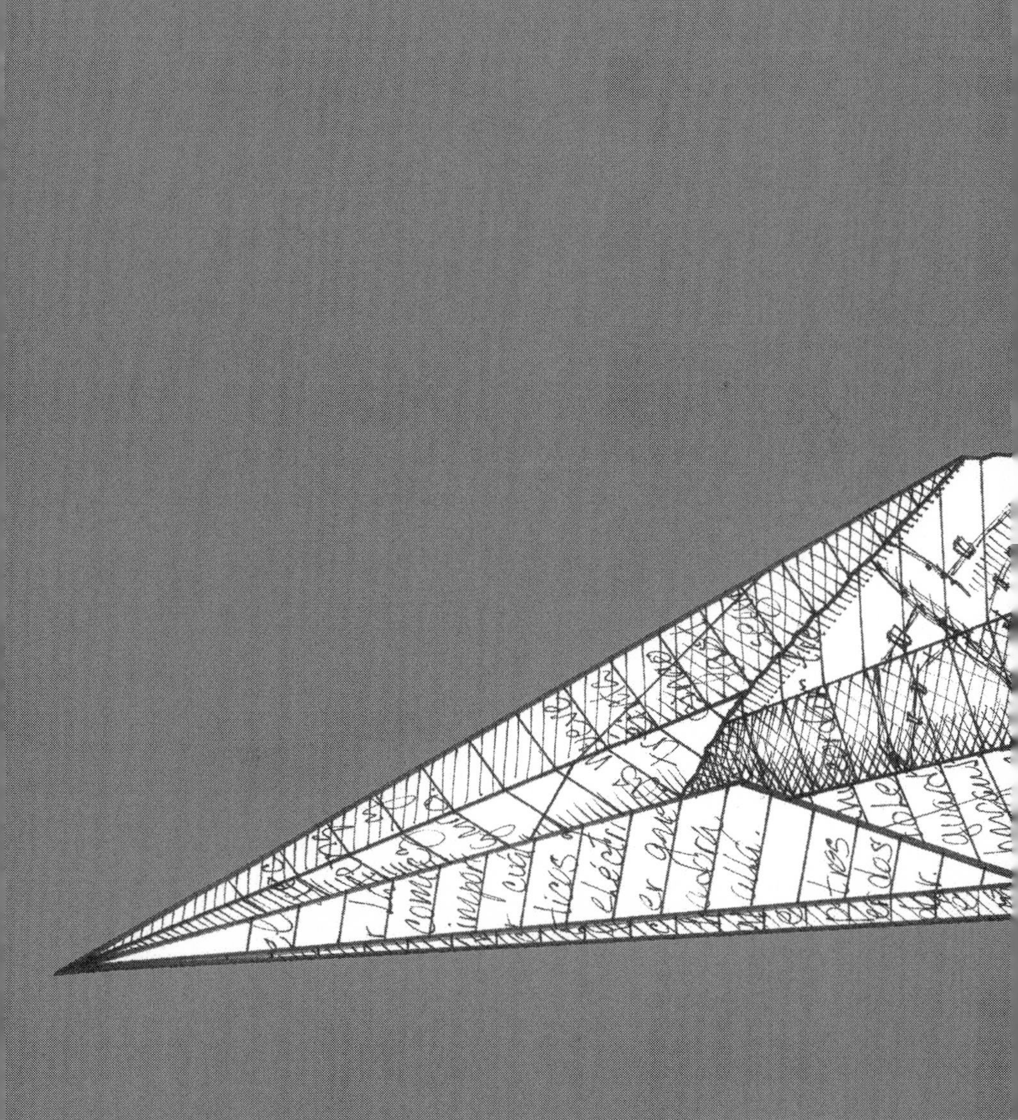

INESPERADO REMEDIO

ANÓNIMO 15

En Argentina trabajaba en una cafetería donde era cajera, la pasaba bien, no suelo quejarme mucho y ya eran dos años viviendo en este país que se convirtió en nuestro hogar. En Venezuela tenía un restaurante y logramos, incluso, abrir un segundo local por la buena fama que tenía. Sentir que mi esposo y yo comenzábamos a establecernos en Venezuela como fruto de nuestro esfuerzo nos generaba tranquilidad y alegría, era nuestro sueño, el de cualquier pareja. Vivimos en carne propia las consecuencias del modelo económico que aspiraba eliminar una clase social para hacer surgir a otra. En nuestro caso, que empezamos de la nada, el modelo se convirtió en el destructor de los emprendedores, de los que aspirábamos, por sus propios medios, a crecer, generar empleo, pagar impuestos y brindar un servicio.

¿En qué mente cabe que destruyendo el incentivo, que arruinando a los emprendedores, se construye una sociedad más patriota? ¿Por qué nos dejamos engañar?

Al principio no fue fácil, yo venía de no trabajar para nadie. Estuve año y medio trabajando en una cafetería, luego me postulé para trabajar en Starbucks y entré ahí como supervisora de turno. Para mí ese era una especie de trabajo soñado, pagaban muy bien y con muchos beneficios. Me di cuenta lo difícil que era entrar como Barista, para luego de año y medio poder ascender. Yo entré directamente como experimentada. Todo lo que había que aprender en un año y medio lo tuve que aprender en dos semanas. Me empecé a estresar mucho, era una enorme responsabilidad y me pagaban más que a todos siendo nueva. Particularmente, con mi jefe no me la llevaba bien, hacía algunos comentarios hacia los extranjeros nada cómodos y eso me hacía sentir muy mal, por primera vez sentí que la sumisión era mi papel en ese momento, me convenía, me correspondía callarme todas las respuestas que por mi mente pasaban hasta el punto que no me provocaba ir a trabajar.

— Tú que vienes a quitarnos el trabajo a los argentinos.

— Qué pena que tengas que cruzar la frontera para conseguir comida y papel.

Todos los comentarios y "bromas" que hacía incluían sonrisas. En el fondo, yo me las tomaba muy en serio, al final eran todas verdad. Dolía mucho, dolía sentir cómo ajetreaba mis sensibilidades, las de cualquier emigrante. No sé por qué me seguía afectando tanto, ya tenía varios años lejos. Yo sonreía, sonreía hasta que la cara me lo permitiera, algunos momentos simplemente no me daba la gana de gesticular e ignoraba todo lo que se decía.

Cuando llegué a Argentina me sentía una persona fuerte, había tenido cierto éxito en Venezuela pero, a medida que pasaba el tiempo, me sentía más vulnerable, esa sensación de fuerza se fue diluyendo poco a poco.

Todo esto empezó a generar un estrés en mí que no estaba acostumbrada a tolerar, era tanta la presión que dormía mal, tenía cefaleas constantes y mi humor empezaba a decaer también. Uno de tantos síntomas que le atribuía al estrés era una sensación extraña en la garganta, era una especie de frío constante, el mismo que genera tragar un hielo. Era algo incómodo, no me limitaba pero era incómodo. Había pensado en ir al médico pero las responsabilidades del trabajo hicieron que el tiempo fuera pasando sin darme cuenta.

En el trabajo tenía muy buena relación con mis compañeros, eran frecuentes los gestos de cariños recíprocos. Yo, en el fondo, me sentía un poco inconforme, no tenía la calidad de vida que esperaba tener. Recuerdo que mi esposo me decía que la idea era disfrutar lo que hacía, que no se tenía que estar donde no se sintiera cómodo. Me di cuenta de que cuando cantaba o hablaba mucho perdía la voz, la perdía más rápido de lo habitual y era algo repetitivo.

Al segundo mes de estar trabajando en Starbucks, empecé a tener un dolor de muela terrible, constante, no mejoraba con nada. Me cepillaba los dientes una y otra vez, tomaba pastillas para el dolor y no mejoraba. Al quinto día de haber empezado el dolor, este me despierta en la madrugada. Me levanto de la cama y voy a la sala a caminar un poco a ver si mejora para volver a dormir; me lavé la boca de nuevo pero no mejoraba, se tornaba más y más fuerte. No quise despertar a mi esposo, decidí llamar al servicio de salud a domicilio, esperando que pudiesen venir a casa a inyectarme algo, pero me dijeron que por un dolor de muela no vendrían a mi casa, me dan un número de urgencias odontológicas y despierto a mi esposo para ir. Luego de eso, fuimos a la farmacia a comprar lo que me habían recetado pero estaba cerrada. Como no suelo ser dramática, le dije a mi esposo que no importaba, que nos fuéramos a casa y las compraríamos mañana.

Mi esposo durmió nuevamente sin mucho ahínco, sin embargo yo no pude. El dolor persistía, me levanté a caminar un rato pero ahí mismo empecé a sentirme mareada, por lo que regreso a la cama, me siento al lado de mi esposo y le digo: "Amor, siento que me voy a desmayar". Él se despierta exaltado, yo camino hacia la cocina a tomar un poco de agua y fue ahí cuando sentí que las piernas ya no me daban y me dejé caer al piso. No perdí la conciencia, incluso creo que me tiré al piso para no golpearme. Se me nubló la vista, empecé a sudar y a temblar, me empezaron a dar ganas de ir al baño. Era una mezcla de síntomas que no podría describir, todo ocurrió al mismo tiempo.

Mi esposo llamó a la ambulancia del seguro de salud que tenía por mi empleo, uno bastante bueno. Fueron hasta mi casa, me inyectaron algo para el dolor y se me quitó. Esa noche dormí como si nada. Al día siguiente fui a trabajar como correspondía pero extrañamente me desperté afónica, no tenía voz. Yo llegué a pensar que había sido un efecto del medicamento que me inyectaron la noche anterior. Fue casi imposible trabajar por el cargo que tenía, sin embargo lo hice. Ese día en la noche me volví a descompensar y fui atendida de nuevo en casa. El médico que me examinó me dio una orden para ver al neurólogo, quien luego me indicó un estudio de imagen porque pensó que quizá tenía una neuritis del nervio trigémino.

Al día siguiente, a causa del mismo dolor, no puede esperar la hora de mi cita que era en la noche para hacerme la tomografía, decidí ir antes. La doctora que me atendió en urgencias escuchó mi historia desde el principio y no pude evitar llorar pero lloraba de impotencia, no de dolor. Me daba impotencia tener una semana con un dolor martillante que no me dejaba vivir, incluso después de haber tomado tres tipos de pastillas y ver que no mejoraba. La doctora, luego de escuchar mi historia médica, llama a su superior, cosa que me extrañó, para presentarle mi caso y me envían a hacerme una tomografía en el tórax, aparte de la del cuello que me correspondía en la cita.

Me dieron las instrucciones, me hice la tomografía y volví. Cuando volví a urgencias digo que estoy esperando por el resultado de un estudio y me mandan a sentarme. A los pocos minutos salió el médico que me había examinado pero salió por una puerta trasera, no por el consultorio. Todo me pareció muy raro, muy atípico. El doctor me pide que lo acompañe a un consultorio donde me acuesta en una camilla y me dice:

— En la tomografía que te hicimos vemos una manchita, pero no te asustes, es una manchita que está arriba del corazón pero aún no sabemos qué es, no le podemos dar nombre todavía. Mi recomendación es que te quedes aquí hoy para que la analicemos bien.

Mi preocupación no era lo que estaba escuchando, era mi trabajo. Me sentía muy comprometida con ellos por haberme dado la oportunidad, apenas tenía dos meses de haber empezado, me daba pena faltar.

— Ok doctor, yo me puedo quedar hoy, pero ¿cuándo puedo volver a trabajar?

— Olvídate del trabajo. Mira, ni hoy ni mañana te vas a ir a tu casa, así que por el trabajo no te preocupes. Ya les informarás.

Aquí empezó el calvario, me subieron a una habitación, eso fue un lunes. A todas estas, yo no sabía lo que tenía. De lunes a jueves fueron estudios y análisis de sangre una y otra vez. Médicos iban y venían, me examinaban, me repitieron la tomografía pero con contraste y me hicieron un eco del cuello. Lo bueno era que el dolor de muela había desaparecido.

El jueves, uno de los médicos que me había visto, me dice:

— Lucía, te voy a explicar algo. Lo que tienes en el pecho es un tumor y vamos a tomar una biopsia. Vamos a ver si es un tumor maligno o benigno, en cualquier caso lo que vamos a hacer es sacarlo.

Yo no lograba entender bien del todo pero entendí que tenía un tumor que se operaba, se quitaba y fin del tema. Estaba intrigada más que preocupada. Llegó el día de la operación para tomar biopsia del tumor que fue el viernes y fue súper rápido. No logré tener noción del tiempo pero no duró ni una hora, al final solo fue una biopsia del tumor.

Al siguiente día, entra a mi habitación la jefa del servicio médico y me dice: "Mira Lucía, a nadie le gusta recibir estas noticias, tienes que ser muy fuerte". Yo pensaba un tanto molesta: "¿Pero por qué me está diciendo esto? ¿Para qué me está preparando? ¿Acaso me voy a morir?

— Tienes que buscar algo en qué distraerte, va a ser un proceso largo, se te va a caer el pelo pero eso es lo de menos, vuelve a crecer, incluso crece más bonito. Va a ser un proceso difícil. Lucía *tú* lo que tienes es un Linfoma No Hodking.

Escuchar que sobre un linfoma fue como escuchar sobre un granito en el dedo gordo del pie, ¡qué sé yo! Yo no sabía lo que era un linfoma... "Bueno Lucía, vas necesitar el apoyo de tu familia". En ese momento comencé a llorar, no lloraba porque sabía que tenía cáncer, porque en ese momento no lo sabía con certeza, lloraba porque lo que decía la doctora parecía grave, lloraba porque no entendía y eso me dio miedo, lloraba porque estaba sola.

Mi esposo y mi hermana, que es médico y vive en la misma ciudad, fueron siempre mi apoyo, nunca me dejaron sola desde ese momento. Nunca hablé con mis papás directamente, todo lo comunicaba mi hermana. La recomendación que me dieron fue cortarme el cabello antes de la primera quimioterapia para evitar el trauma de ver mechones de pelo en mi almohada. A los días de recibir la primera quimioterapia, llamo a mis papas por primera vez (no había querido enfrentarlos directamente, siempre lo hizo mi hermana) y ellos me preguntan con asombro: "¿Por qué te cortaste el pelo hija?". Esa pregunta me molestó, no sabía si ellos no entendían bien lo que pasaba, si pensaban que esto era solo una gripe o simplemente estaban en negación; llegué a pensar que mi hermana había desdeñado un poco la historia para ellos. Lo cierto es que fui paciente y les expliqué una y otra vez.

Ellos, desde el día uno, intentaron venir a Argentina, estuvieron tres semanas buscando pasaje, una tía les ayudó con el dinero. Mientras tanto, mi hermana, mi esposo y tres amigas del trabajo, que se convirtieron en mi familia, se turnaban cada noche para cuidarme. Un día ninguno pudo quedarse y le pagamos a una chica para me cuidara porque esa noche mi esposo no podía dejar su trabajo, dependíamos mucho de eso, él es Chef, jefe de cocina.

Uno de esos días eternos, cuando me correspondía la tercera dosis de quimioterapia, el estrés comenzó a ganarnos la batalla. La dosis estaba tardando en llegar por cuestiones del seguro médico y ese día mi esposo tuvo un día terrible en el trabajo. Esa noche le correspondía a él cuidarme, apenas llegó a la habitación se sentó en el incómodo sillón donde se quedaba quien me cuidara y se quedó dormido a los pocos minutos. Repentinamente veo cómo gira su cabeza bruscamente con los ojos abiertos como un búho y empieza a temblar, mi esposo estaba convulsionando ahí, a mi lado, y yo amarrada a la cama con todos esos malditos cables, lo único que pude hacer fue gritar, grité con el hilo de voz que tenía, cerré los ojos y grité hasta que vi entrar a las enfermeras. Yo solo pensaba: "Ya basta, ya basta de lecciones. ¿Qué es esto Dios mío?".

Las enfermeras me pedían que me calmara, pero no podía, estaba en shock, mi esposo, una persona sana, que me tenía que cuidar supuestamente, estaba ahí con los ojos volteados y una rara sonrisa, como se ve una persona cuando convulsiona, me imagino. Lo sientan en la cama, ya no temblaba pero su mirada estaba perdida, la enfermera le pregunta detalles para evaluar su conciencia. Mirándolo a los ojos yo le pregunto:

— Mi vida, mírame a la cara ¿Quién soy yo?

— El amor de mi vida— me responde aún con la mirada perdida y la respiración acelerada.

— Sí cielo, el amor de tu vida— respondí para hacerle saber que había entendido que estaba más consciente que nunca.

Yo no lloraba, seguía en shock y solo miraba el techo... "Pero bueno, será que voy a aprender algo de todo esto ¿qué será que me quiere decir la vida? No puede ser que me pasen tantas cosas al mismo tiempo".

A medida que la gente se iba enterando de mi enfermedad, eran muy comunes las palabras de aliento, mucha gente me decía que iba a aprender algo nuevo de todo esto y eso me daba tanta rabia porque me ponía en compromiso conmigo misma. *¿Yo obligatoriamente tengo que aprender algo? ¿Y si* no aprendo nada? No quiero vivir la vida buscando el significado de lo que yo tenía que haber aprendido cuando me dio cáncer.

A mi esposo le hicieron todos los exámenes y no encontraron nada importante que justificara ese episodio, así que se lo adjudicaron al estrés. Las cosas fueron mejorando poco a poco, mis padres finalmente llegaron a Argentina, luego de un mes de haber comenzado esta particular experiencia. La sensación de estar medio dormida, abrir los ojos y verlos ahí, cuidándome el sueño, era increíblemente satisfactoria. Recuerdo cómo, en medio del somnoliento efecto de la morfina, le agradecía a Dios por tenerlos cerca y permitir que tanta gente que me había estado ayudando descansara un poco.

Estar fuera de Venezuela y vivir esto, que la vida se empeñó en enseñarme, ha sido difícil de definir. En parte me siento increíblemente afortunada, a dos meses de empezar mi nuevo trabajo tuve un seguro médico, el cual ha cubierto casi todos los gastos de mi enfermedad, estoy en una clínica privada que no tarda ni 10 minutos en darme resultados y donde me han tratado de una forma especial. Amo mi país, amo lo que soy gracias al sitio donde crecí, pero no puedo dejar de pensar si estaría viva si esta etapa de mi vida me hubiese tocado vivirla en Venezuela. Pensar que soy afortunada por no estar allá me genera un poco de remordimiento, me siento un poco egoísta, un egoísmo que no me pertenece.

Un linfoma agresivo como este amerita un tratamiento rápido y radical. Hoy soy más empática de lo que era, me solidarizo con todos aquellos que están ahora mismo esperando algún tratamiento, algún estudio en mi país. La vida es lo más preciado de cualquier ser y en Venezuela no debería existir muertos por temas de gerencia sanitaria, por escasez de medicamentos, por la fuga masiva de los médicos, por el deterioro de los hospitales. Lo que más deseo, después de mucha salud, es que mis compatriotas no se sigan muriendo por actos de omisión, actos de irresponsabilidad de unos pocos. No hay ideología lo suficientemente fuerte, coherente y popular que pueda justificar la negligencia y el abandono. La vida lo merece todo, merece lucharla, merece luchar por los demás. Justicia.

Febrero del 2017, con 29 años y estoy libre del cáncer. El tratamiento ha funcionado, tengo algunas complicaciones propias del tratamiento pero, al menos, tengo alguna garantía de vida, de tiempo para sanar heridas que veo y duelen, y las que no veo y hieren.

Comentario:

El que emprende el camino de la distancia lleva consigo objetivos, metas trazadas, sueños rotos y adheridos con pegamento una y otra vez. Un buen planificador prevé, incluso, las posibles adversidades y algún plan que pudiera direccionar nuevamente el rumbo. Cuando la adversidad es más grande que las capacidades, que el poder de decisión, es cuando el mundo da un vuelco para aquellos a los que la enfermedad toca su puerta.

Con el pasar de las décadas, el avance médico y científico, sobre todo el conocimiento y diagnóstico precoz, ha permitido tratar en fases iniciales muchas enfermedades, haciendo que la esperanza de vida de la humanidad se eleve cada vez más en los países que apuntan al desarrollo. Venezuela llegó a alcanzar los 100$ por barril de petróleo con una producción que superó los dos millones de barriles al día. No voy a hacer ningún cálculo matemático, solo quiero recordar la bonanza que entró a Venezuela durante este gobierno y contrastarlo con la realidad sanitaria de la Venezuela del 2017. Venezolanos fallecen todos los días por la miserable ausencia de medios y la ignorante gestión del gobierno para evitarlo. Hay que lograr un nivel de ineficiencia increíblemente alto, merecedor de cualquier premio a la anti economía, para llevar a un país entero a la ruina.

Las historias de muertes por la gran ausencia de medicamentos en Venezuela representan la realidad vergonzosa para aquellos que hemos dedicado, en promedio, 10 años a nuestra formación. Esto nos hace sentir frustración por ejercer a medias, por no contribuir como sabemos que podemos hacerlo; la frustración del que muere entendiendo que son razones evitables, la frustración de ver cómo la ideología es capaz de dejar morir, de asesinar por omisión.

Quiero dedicar este relato a todos aquellos que viven una situación precaria de salud en Venezuela y a cualquier venezolano que, como Lucía, también tuvo la suerte de ser atendida con todas las garantías que la medicina del siglo XII ofrece en otras partes del mundo.

Jorge Luis Torrealba Marín • 26 años • Nacido en Punto Fijo, estado Falcón • Actualmente en Miami • Caricaturista • Instagram: @jorgetorrealba

EL ÚLTIMO ADIÓS

ANÓNIMO 16

De sus 18 nietos, yo era el que más tenía contacto con mi abuela. Recuerdo subir esas escaleras y empezar a oler sus comidas en aquel ruidoso silencio que impregnaba cada rincón de esa casa. La alegría en su mirada con cada visita era indescriptible.

Cuando decidí emigrar, ella fue una de las últimas en enterarse, me consta que le molestó un poco. Nunca me daba una opinión tajante sobre algún tema, su lenguaje era no muy verbal; cuando quería hablar poco, sabía hablar con la mirada, lo suficiente para entender sin necesidad de repetir.

En su mirada siempre hubo tristeza, nunca supe exactamente las razones. Una vez sentados, tomando aquel café negro espeso, que solo lo toleran los paladares ya acostumbrados, le pregunté si había sido feliz. Una pregunta un tanto lógica porque, según yo, con 85 años vividos era buen momento para hacer un balance de vida. Con ella entendí que nunca va a existir un buen momento para hacer balances de vida, siempre querremos vivir más, siempre tendremos esperanza, aunque sean escuálidas, minúsculas. Hacer un balance final de vida, como hacer el cierre de caja del día, es algo que muy pocos quieren hacer. El miedo al recuerdo, el miedo al arrepentimiento, el miedo al tiempo perdido y a lo aún no vivido. El temor por recordar, por extrañar. Esa pregunta fue un poco impertinente, conociendo sus tristezas, pero quería saber más de ella. Quería indagar, como un niño en un sitio ajeno, cada rincón de su memoria, cada paso dado, éxitos y fracasos.

En eso se convirtió ese café amargo, en historias, historias que iban y volvían en el tiempo, personajes que estaban y otros que faltaban. Cada tarde fue un encuentro con mi propia historia, una relatora audaz, muy sabia... yo diría que, para ser una mujer que aprendió lo que la vida era capaz de darle, era grandiosamente sabia. Su forma de ver los problemas, de resolver los conflictos, claro, todo esto no escapaba a su personalidad testaruda y visión conservadora de la vida.

Aquella pregunta creo que le revivió cada sentimiento dormido en ella...

— Abuela, ¿te puedo hacer una pregunta?

— Claro mi vida— me responde con una cara que mostraba la total disposición en ser honesta.

— ¿Tú sientes que fuiste feliz?

Luego de apretujar los labios y tragar profundo, luego de unos segundos y un sorbito del café amargo, levanta los hombros como queriendo dudar:

— La felicidad no se puede medir, felices son los momentos, los recuerdos. La felicidad es un ratico, ya después toca vivir.

Me quedaba en silencio analizando su frase, no sabía si seguir esperando o dar mi opinión, y continúa:

— Mi vida yo no sé si fui feliz, con esta edad que tengo no sé diferenciar la felicidad de la cotidianidad. La felicidad más bonita que me dio la vida está tomándose un café conmigo.

Esa tarde cuando conversamos sobre mi decisión de buscar un destino con alguna micra de posibilidad y esperanza para cumplir mis objetivos, me dio una opinión que se repetía en mi mente en cada momento de dificultad vividos fuera de mi país:

— Va a ser muy difícil empezar desde cero, te vas a poner triste cuando logres cosas bonitas lejos de aquellos con quien quieres compartirlo. Vas a ser muy exitoso, pero siempre va a faltar algo, aunque lo logres todo.

Ella caminaba con mucha dificultad y con mucho dolor, ayudada de un bastón, casi nunca salía de su casa por miedo a volverse a caer y fracturarse la otra cadera. Un día antes de irme, le había dicho que no viniera a casa, que yo iba a verle para despedirme. Me respondió con una voz firme de esas que intentan demostrar autoridad: "No, yo voy a despedirte a tu casa, tu tía me va a llevar". Yo no quería que ese momento llegara, no quería despedirme de ella, solo quería que ese café fuese otro más.

Llegó a casa acompañada de mi tía, con una marcha dificultosa, encorvada. Esa tarde habló muy poco, solo me preguntó si tenía el equipaje listo y si sabía a dónde iba a llegar. Me llevó unas galletas en una bolsa de papel, unas pocas, aún estaban calientes. Cuando llegó la hora de despedirme, se levantó de la silla como pudo y se acercó a mí, me dio un abrazo y yo solo escuchaba el quejido de un llanto profundo y, al mismo tiempo, sutil... nunca había sentido ese llanto, era muy particular, temblaban sus manos más de lo habitual. Yo solo cerraba los ojos y trataba de evitar que alguna lágrima corriera por mi cara, no quería que sintiera de mi parte lo que ella sentía por la suya, la despedida, el último abrazo.

Fue un abrazo que duró un tiempo que no soy capaz de determinar, solo sé que fue eterna la necesidad casi incontrolable de no llorar... "Cuídate mucho mi vida, Dios te bendiga, cuídate mucho". La imagen que quedó grabada en mi memoria, y que cada vez que la pienso viene a mí, es ella ya dentro del carro, despidiéndose con la mano y haciendo un gesto de lamento... Ella sabía que no nos íbamos a ver más, ella sabía en ese momento que no habría más café ni otra tarde de charla.

No poder estar con ella, no poder verle, abrazarle y decirle cuánto la quiero, despedirme en su último instante de vida es lo que más peso produce en mi mochila, el peso de las consecuencias, decisiones necesarias pero nunca libre de consecuencias y esta es la más dura de todas.

Me llamó un día antes de fallecer, me repitió lo de siempre pero esa vez fue muy enfática, muy incisiva, con la voz forzada, ya cansada: "Sé fuerte mi vida, sé fuerte, no va a ser fácil pero vas a ser exitoso".

Comentario:

La despedida del emigrante y de sus familiares se vincula con el llanto porque no se sabe si será el último abrazo, el último beso. La división que el sistema político gangrenoso de Venezuela generó en la sociedad alcanza todo los niveles, desde la división familiar, la distancia obligada hasta el dolor culpable de no poder estar en los momentos donde más se tiene que estar. Muchos, diría que la gran mayoría, no pueden ir a Venezuela cuando una situación como esta inesperadamente ocurre.

He conocido venezolanos exiliados o en situación irregular en otros países que, ante la impetuosa necesidad de estar en los últimos momentos de la vida de algún familiar, no han podido regresar. Muchos han vivido el luto desde la distancia, desde la soledad, donde un abrazo consolador es el gran ausente. Si hay algo que los venezolanos del futuro tienen que recordar, tienen que aprender, es que el gran mérito de este gobierno, una de las pocas cosas que ha hecho a la perfección, es destruir familias. Muchas son las heridas que aún escuecen en los venezolanos que han pasado por esto... Que el retorno se convierta en la mejor terapia.

Valentina Maggi • 21 años • Nacida en Caracas, Distrito Capital • Actualmente en Caracas • Diseñadora Gráfica e Ilustradora • Instagram: @maggiflavor

ANÓNIMO 17

CIUDADANA DEL MUNDO

A menudo leo a venezolanos en el exterior queriendo volver y venezolanos que se van no queriendo irse; personas que viven afuera pero sus almas están dentro de su país. Nacemos con el chip patriota que nos impide desligarnos de nuestra cuna, me atrevería a decir que este fenómeno es propio de inmigrantes venezolanos. Jamás conocí a un chino llorando en cada rincón por su país, ni a un inglés lamentando el estar lejos de su cultura.

Muy bien decía el político Bilbaino Mario Onaindia: "La patria no es el lugar donde se nace, sino donde se es libre y se pueda luchar para que los demás lo sean". Hoy siento que me puedo reinventar, tengo una ventaja sobre quién era hace un tiempo, puedo ser quién quiera ser, puedo vivir la vida que yo misma elija sabiendo que la única responsable seré yo.

¿Lo mejor de esta experiencia? Saber que no soy de aquí ni de allá, internalizar que soy venezolana pero seré también una ciudadana del mundo que estará en el sitio indicado, en el momento indicado con las personas que pueda tener a mi lado. Vivir sin anhelos inalcanzables, con el equipaje ligero, las grandes oportunidades han llegado y me siento feliz de poder valorarlas y aprovecharlas. Somos venezolanos y eso no nos debe atar a un espacio ni a un recuerdo, somos venezolanos y ahora ciudadanos del mundo.

Comentario:

En cualquier país que estuviese, luego de conocerme un poco más, siempre me decían que envidiaban el sentido de pertenencia que tenemos los venezolanos por nuestra bandera, por nuestra música... y cómo la pasión nos invade cada folículo piloso cuando hablamos de nuestro país. Siempre con una gorra tri-

color o una bandera en casa, en fin, anécdotas que hacen florecer un sentimiento fácil de transmitir. El gran hándicap, que nos acompaña como sociedad en otras latitudes, es precisamente lo que para algunos es envidiable y es ese apego emocional que a muchos les ha impedido alzar vuelo, al mismo tiempo que se convierte en la principal garantía que tiene un país entero de que todos aquellos que hoy no estamos, lo estaremos más temprano que tarde. Y si no ocurre así, donde sea que estemos llevaremos siempre un tricolor que alardee de nuestro orgullo y despierte sanas envidias.

Vanessa Iacono • 33 años • Nacida en Caracas, Distrito Capital • Actualmente en Miami • Psicóloga y Artista Plástico • Instagram: @viaconog

ANÓNIMO 18

EL AMOR DE MI VISA

Ya tenía más de tres meses en Barcelona, más de lo que mi pasaporte permitía para esta morena de Chacao. La fecha de retorno del billete, que había comprado al venir, ya había pasado. ¿Ahora? Como muchos decidí quedarme, decidí arriesgarme. En Venezuela no tenía nada qué hacer, no tenía ni siquiera cómo regresarme. Estuve una semana pensándolo, dudando si regresar o quedarme, hasta que una amiga me dijo: "Al que le cuesta mucho tiempo dar un paso se va a pasar la vida entera en un solo pie".

Un amigo con el que vivía, el que me ayudó en todo, me ayudó también a conseguir un trabajo en el barrio Gótico, zona que suelen frecuentar las personas de un estilo más alternativo. Mi trabajo consistía en estar en la calle con volantes y convencer a la mayor cantidad posible de personas para que fueran al bar a tomar algo. Siempre supe convencer rápido a la gente y este trabajo no me calzaba mal. Me pagaban por cada cliente que entrara al bar y comencé ese mismo día, sin contrato o trámite alguno. No era mucho pero me ayudaba a pagar las cosas.

— ¡Hola chicos! ¿Queréis tomar algo barato? Os invito un *shot* de tequila, venga, hay buena música, sin compromiso os tomáis el tequilita y si no os gusta os vais.

Siempre con una sonrisa que la mayoría de las veces era muy poco espontánea. Me tatué esa frase en la corteza cerebral, no te imaginas cómo me costó lograr un acento medianamente español. No era porque me gustara, me lo recomendaban todos los que trabajaban haciendo lo mismo, casi todos estaban de forma irregular en el país. Aquí la seguridad policial está siempre rondando la zona, incluso vestidos de civiles y a más de uno lo han pillado sin papeles. Multa, deportación y multa al bar. Ya tenía un mes haciendo lo mismo, no me aburría. Llegaba a las 9 pm y terminaba a las 5 am, de lunes a lunes. Conocía a mucha gente. Muchos terminaban con mi número, muchas amistades y algún amor pasajero.

En la habitación donde vivía, bastante pequeña, lo que más resaltaba, además de la foto de mi familia, era mi título de Licenciada en Comunicación. Estaba sobre una repisa donde había dos libros que nunca me terminé de leer. Ahí estaba mi preciado y poco útil título, lo que en un momento pensé que era el tesoro más valioso, lo que me daría la estabilidad y satisfacción de sentirme una profesional realizada. Nada más lejano a la realidad. Ahí estaba, acumulando polvo, para eso quedó.

Uno de esos chicos que llevé al bar insistió mucho en hablarme, luego de haberlo dejado en el bar y regresar a mi puesto habitual, él regresó a donde yo estaba, lo veo, él me ve de lejos, se acerca y yo espero que me diga algo pero luego de ver que le costaba un poco mover sus carnosos labios, le pregunté:

— ¿No te ha gustado el bar?— pregunto sonriente.

— Me gustaba más si te quedabas. ¿De dónde eres? — sonríe.

Mi corazón se aceleraba poco a poco, era un chico súper guapo, pelirrojo, alto de barba roja, corta y fuerte.

— Soy de Venezuela, soy Rebeca—le respondí sin disimular interés.

Luego de una conversación de minutos donde sin tapujos hice un resumen de mí, me pide el número con la excusa de que tenía muchos amigos periodistas y se pone a la orden para ayudarme. Aquella noche no pasó nada. A la siguiente pasó de todo, pasó tanto que fue suficiente para darme cuenta que una noche basta para enamorarse locamente.

Paúl es hoy mi prometido, es mi amor, mi droga. Gracias a él soy residente, gracias a él tengo un trabajo administrativo en una TV local de Barcelona. Puedo decir con claridad, conseguí el amor en la calle, el amor de mi visa.

Comentario:

Entre tantos proyectos de vida que tienen la oportunidad de planear aquellos que deciden dar el corto y pesado paso de alejarse, algunos esperan enamorar y enamorarse del susodicho o la susodicha, la víctima del pasaporte nativo, el amor de tu visa. Muchas historias de verdadero amor, aunque el beneficio legal que este vincula siempre es un plus para aquellos que se atreven con o sin amor a casarse.

Gabriela Nava • 19 años • Nacida en Ciudad Ojeda, estado Zulia • Actualmente en Maracaibo • Estudiante de Comunicación Social, mención Desarrollo Social / Ilustradora independiente • Instagram: @ohgabrielala

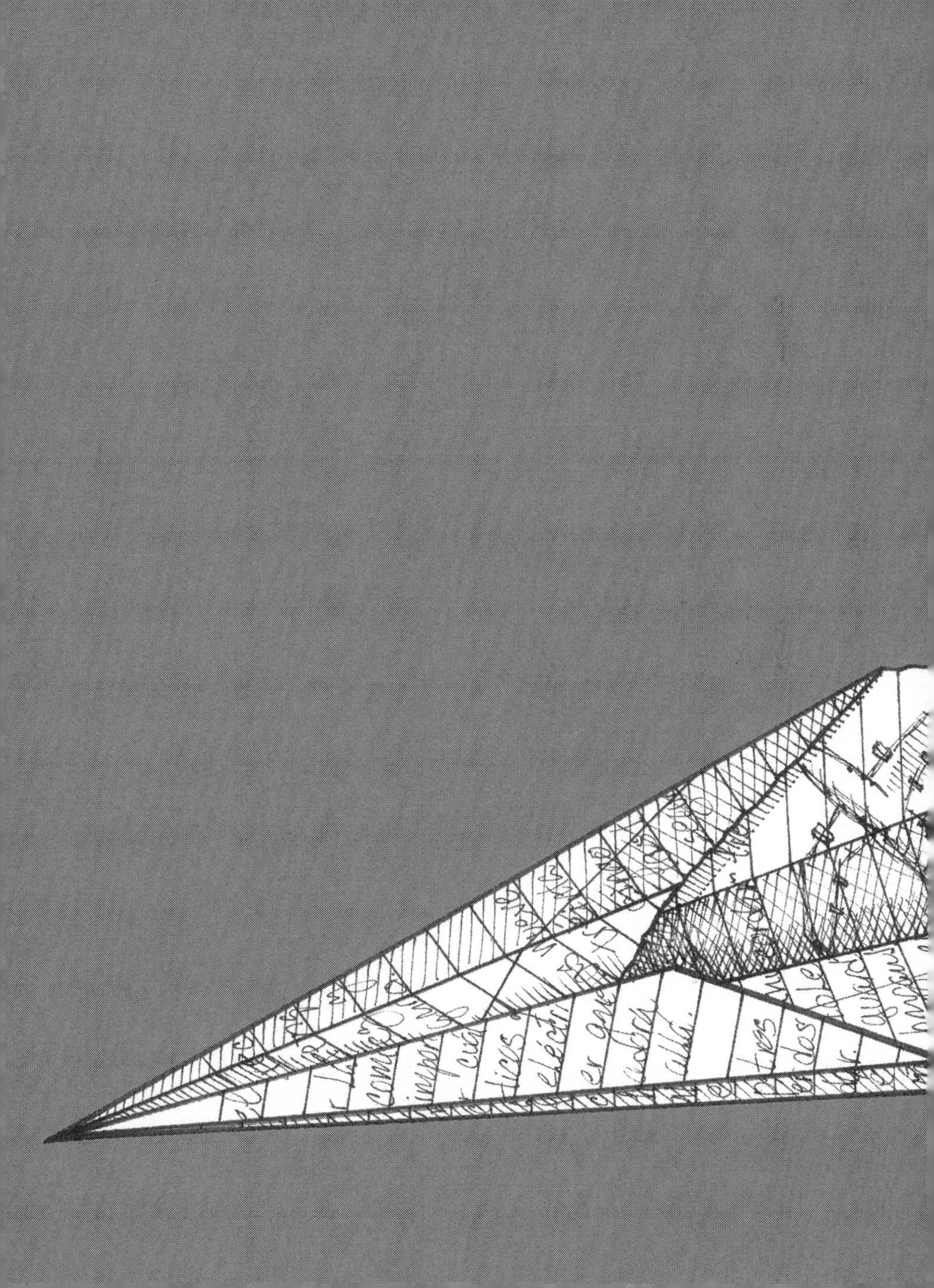

ANÓNIMO 19

HIJOS DE UN NUEVO PAÍS

Hace cinco años que nos vinimos a Pensilvania, para esa época Sofía tenía 4 años, no había empezado sus primeros y tormentosos días en la escuela. Mi empresa me ofreció la oportunidad de ser trasladado por 3 años a esta ciudad donde opera una de las centrales más importantes de la región. Lo pensé mucho, lo pensamos mucho, la calidad de vida que tenía en Venezuela no era despreciable. Para esa época, la economía convulsionada apenas era un bebé en pañales y jamás nos imaginamos que llegaría a crecer como lo es ahora, siendo una bestia peluda, una bestia creada sin mucho esfuerzo, el mismo esfuerzo que amerita destruir algo y no construirlo. Esa economía para el 2010 jugaba de nuestro lado y Sofía estaba creciendo a paso de vencedores. Irnos fue una decisión emocional, cambiar de ambiente podría mejorar nuestra relación familiar y el sueldo que iba a tener era un poco mayor al que ganaba en Venezuela. No fue para nada una decisión desesperada.

Llegar aquí fue un cambio más radical del que tenía planeado, más definitivo del que queríamos. Regresar siempre fue mi opción, soñaba con regresar y teniendo esa estrella de general en jefe, esta experiencia que internacionalizaba mis ofertas de empleo, podría optar a un cargo más ambicioso en Caracas. La tormenta llegaba a mi país y fuimos espectadores ajenos, externos que fueron viendo, en cámara lenta, la caída de toda una sociedad en picada. Eso obviamente cambió todo este plan cuasi maquiavélico que tenía.

Si soy sincero recuerdo exactamente el día en el que me di cuenta que retornar no era ya mi opción A. Fue un día de semana, estando en el colegio de Sofía donde se estaban realizando unos juegos deportivos infantiles y a Sofía le tocó, por su genuina voz, cantar el himno de los Estados Unidos. Con Sofía siempre hablamos español en casa, pero el inglés comenzaba a ser su idioma, el de sus amigos, el de su entorno y nosotros no podíamos cambiarlo del todo.

Ver y escuchar a mi niña cantando, con esa pasión, el himno de otro país me llenó de emociones que no supe manejar pero básicamente me desgarró el alma.

"Oh, say does that star-spangled banner yet wave". Me rebosaban los ojos de lágrimas al ver a esa pequeña entre dos culturas, ver cómo otra letra, otra música era la que le aceleraba el corazón, eran otras las estrellas de otra bandera la que la identificaban, la que le erizaban cada folículo piloso. Ya no iba a ser un "Gloria al Bravo pueblo", no iba a ser un "seguid el ejemplo que Caracas dio...", el ejemplo que le hemos dado o que nuestro país le ha dado no era muy de admirar en realidad. Esos minutos en los que ella entonaba esa letra fueron eternos, pasaron sentimientos variados por mí, desde una nostalgia que me invadía como invade el agua el espacio que se le antoja, sin pedir permiso. También me llené de odio, me llené de un odio que siempre he tratado de canalizar, de dejar fluir y no retener. Sentí odio por los culpables, odio por aquellos que se hacen llamar patriotas, por aquellos que siendo falsos defensores de nuestra identidad, han logrado que cientos de miles, que forman esta nueva generación de venezolanos, estén hoy reconociendo otro himno, otra bandera, otros idiomas como propios, todo porque los que llenaron al país de utopías hoy expectoran sobre su gente la más putrefacta consecuencia de su maldita revolución. Son los hijos huérfanos de otro país.

Comentario:

Regresar es el plan A de todo emigrante, por más que muchos digan lo contrario. El que se va, sabe que poder retornar es lo único seguro. Cuando entre tantos planes hay uno que es imperativo, ese debe ser el plan A, los otros ya son meras posibilidades entregadas al azar, al destino o al esfuerzo.

¿Quiénes son hoy los venezolanos con doble nacionalidad que tienen el reto de emigrar con más facilidades que el resto?

Hijos, nietos de inmigrantes europeos que particularmente durante el gobierno de Eleazar López Contreras llegaron incentivados por aquel gobierno. La particularidad de esta inmigración, a diferencia de las del resto de Latinoamérica, fue que se "venezolanizó" al extranjero, se promovió la integración de culturas y colonias mixtas. En el resto del cono sur el objetivo fue "Europeizar" la región, como efectivamente parecen medianamente haber logrado. La historia no va a ser muy diferente para los que hoy crecen en otros países, para los que su primer bocado de aire no es en Venezuela. Yo aspiro a que en un futuro sea nuestro país el que reciba a hijos y nietos de venezolanos, que sea nuestro país el que ofrezca oportunidades y sea el punto de encuentro de muchas culturas.

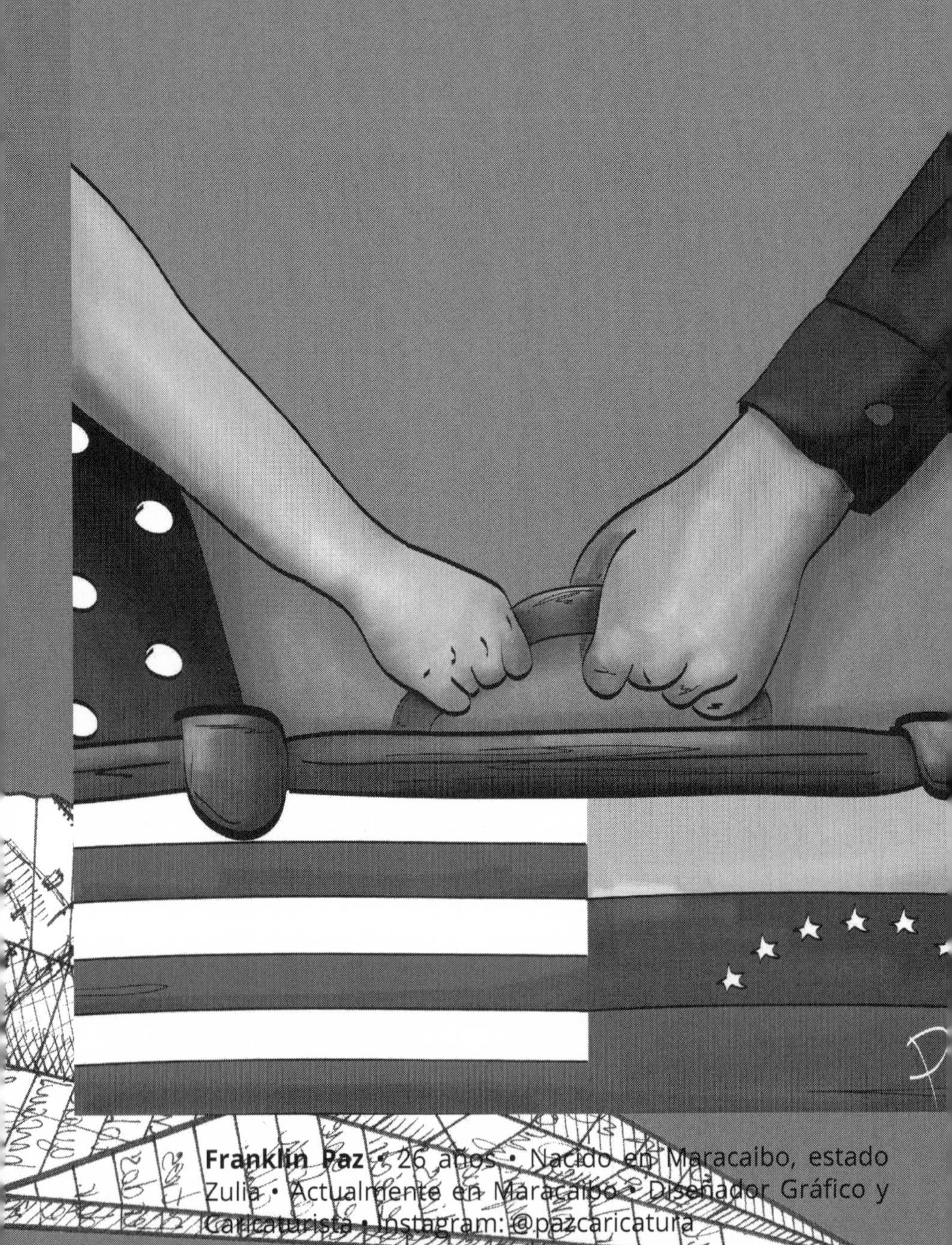

- **Franklin Paz** • 26 años • Nacido en Maracaibo, estado Zulia • Actualmente en Maracaibo • Diseñador Gráfico y Caricaturista • Instagram: @pazcaricatura

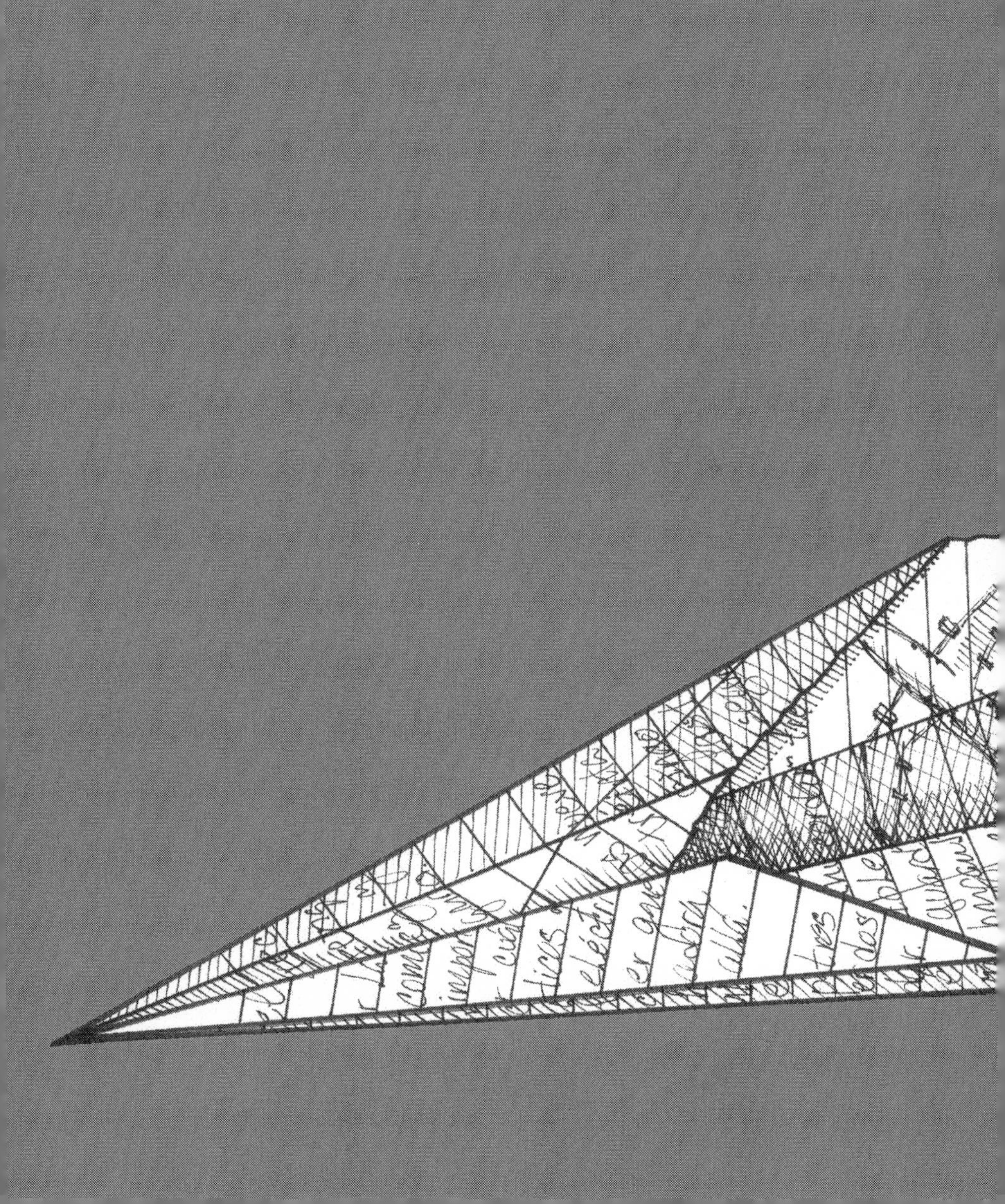

DECISIÓN ACERTADA

Debo comenzar diciendo que me siento profundamente agradecida con la vida por habernos dado a mi esposo y a mí la oportunidad de salir de nuestro país en las condiciones que así lo decidió el destino, que son favorables en muchos sentidos en comparación con muchos otros venezolanos que han tenido que irse y realmente pasar trabajo como se diría de manera coloquial.

Mi esposo y yo siempre estuvimos atentos a ofertas laborales que pudieran presentarse como una oportunidad para cualquiera de los dos fuera del país. Debo destacar que ambos somos orgullosamente venezolanos, amamos nuestra tierra, sus bellezas naturales, su clima perfecto y, por supuesto, a nuestras familias. Sin embargo, no solo el desgaste económico y social de Venezuela en los últimos años nos hizo considerar la idea de partir, sino que además el año pasado mi familia vivió el peor momento, ese que jamás piensas que vivirás porque solo lo lees en las noticias... a mi hermano lo asesinaron, en circunstancias que aún hoy no nos quedan muy claras, lo cual aceleró nuestra búsqueda de un futuro mejor.

Me detengo aquí para tratar de explicar, con mucho dolor, lo que significaba mi hermano para mí y para mi familia. Era mi hermano mayor, nosotros somos tres, él me llevaba 11 años y siempre fue, más que un hermano mayor, un padre para mí. Me dio mi primer sobrino y ahijado cuando yo solo tenía 12 años de edad. Mi hermano era una persona con un carácter fuerte y dócil a la vez, de muy bellos sentimientos, pero muy especialmente era familiar; era el sobrino predilecto de nuestros tíos, el hijo compañero de mi mamá y el amigo más amigo de sus amigos. Por ello es que se ofreció a acompañar a uno de sus amigos a resolver una situación de robo de un vehículo que terminó en un enfrentamiento entre la banda de ladrones y la "policía", de esos muchos disparos a mi hermano le llegaron solo dos, uno en el pie y el otro directo al corazón, suficiente para acabar con su vida en ese mismo instante. Cuando recibes una noticia como esa no te la crees, tratas de buscar algo que te indique que fue una equivocación, pero no, resulta que sí lo es y, aunque yo no me haya atrevido a ver a mi hermano en su ataúd porque prefiero recordarlo como era en vida, lamentablemente fue cierto, le arrebataron su vida a los 43 años, se convirtió en un número más de la estadística de asesinatos en Venezuela que suma y suma cada día más... Mi familia se rompió para siempre y jamás volveremos a ser los mismos estemos donde estemos...

Retomando el tema de cómo hicimos para irnos de Venezuela, pues inicialmente apareció una opción laboral para mi esposo, en una ciudad diferente a donde estamos ahora y con condiciones diferentes. En ese momento nos sentimos tan desesperados que rogamos mucho a Dios que lo seleccionaran para ese cargo. Sin embargo, no fue así, eligieron a otro candidato y la verdad eso nos hizo perder un poco las esperanzas de que apareciera pronto otra opción. A partir de entonces, como nos habíamos hecho tantas ilusiones y no se dio, decidimos disfrutar nuestro país con sus pros y contras, no enfocarnos tanto en la idea de irnos para no darle tanta energía a un hecho que no sabíamos cuándo podría ocurrir. Yo me concentré en mi nuevo trabajo, por primera vez, en 12 años de experiencia laboral, tenía la oportunidad de dirigir un departamento completo y formar parte de una historia de emprendedores exitosos en Venezuela, lo cual me hacía sumamente feliz; por su lado, mi esposo tenía ya cinco años en la empresa trasnacional donde trabajaba, en el mismo cargo pero feliz, con un equipo de trabajo maravilloso que ya era como su familia y con beneficios económicos importantes (aunque cabe destacar que en Venezuela ganes lo que ganes nunca alcanza).

Siendo así, transcurrió un año y medio, cuando un día mi esposo se me acerca y me dice: "Me volvieron a llamar para otro cargo, esta vez es un cargo superior, en otra ciudad y con mayores beneficios, además me dijeron que no buscan a más nadie sino a mí porque ya conocen mi perfil". Yo no sabía qué pensar, no quería ilusionarme de nuevo para luego sentirme mal. De pronto, en pocos segundos, imaginé cómo sería mi vida sin mi familia cerca, sin los pocos amigos que me quedaban en el país, sin nuestras cosas, las que por años fuimos comprando juntos y colocando en su lugar para construir nuestro hogar... y entré en pánico, pero a la vez me emocionaba mucho pensar en un mejor futuro para ambos... Recuerdo que a la primera persona que se lo dijimos fue a mi mamá, pues tomando en cuenta la ausencia de mi hermano y lo cercanas que somos, esto le afectaría seguramente muchísimo. Ella nos miró y nos dijo: "Ni se les ocurra decir que no, váyanse, piensen en su futuro y en el de los hijos que algún día tendrán, yo voy a estar bien e iré a visitarlos cada vez que pueda". Su fortaleza es infinita, al menos así lo exterioriza, porque de alguna manera iba a tener que vivir ahora con otra ausencia física, la mía (y la de mi esposo a quien adora como otro hijo más), solo que afortunadamente esta ausencia no es permanente.

Cuando finalmente tomamos la decisión de aceptar la propuesta, sentí un alivio al pensar en el futuro pero, a la vez, una gran tristeza por todo lo antes mencionado y que seguro extrañaría (la verdad es que no tenía ni idea...) Vinimos a conocer la ciudad, en lo que llamamos un viaje de "reconocimiento" de cuatro días. En ese momento entendí que sí podría vivir aquí, que me gustaba lo que veía (porque lo externo y superficial, que es la primera impresión, siempre es lindo), rápidamente visitamos muchos posibles lugares para vivir y finalmente elegimos uno. Regresamos a Venezuela y, en 3 semanas, reestructuramos nuestra vida, comenzaron las pocas despedidas que tuvimos, ya que por elección no le dijimos sino a nuestros familiares y amigos más cercanos, tuvimos que meter nuestra vida en unas pocas maletas y llegar a nuestro nuevo hogar. En el

Aeropuerto de Maiquetía no quisimos tomar la típica foto de los pies sobre el piso de Cruz Diez, nos parecía deprimente y negativo, miramos alto, aguantamos las ganas de llorar abrazando a mi mamá, a mi cuñada y mis sobrinos quienes nos acompañaron, sabiendo que no nos volveríamos a ver pronto, pero con la esperanza de algún día regresar, de que esto fuera solo un escape a la situación actual de Venezuela.

Una vez aquí, en lo que es ahora nuestro nuevo hogar, le fuimos dando forma y nos sentimos mejor al ver el resultado final. Mi esposo comenzó enseguida a trabajar, tuvo días buenos y otros no tanto, pero afortunadamente puede decir que trabaja en lo que le gusta, en lo que estudió y, además, gracias a eso podemos estar tranquilos económicamente e, incluso, a nivel de seguridad que en Venezuela ya no teníamos.

Yo no estoy trabajando, ya son casi cuatro meses en nuestro nuevo hogar y me he dedicado a distraerme con actividades para las cuales no tuve tiempo en los últimos años, debido a las responsabilidades laborales. He leído, he hecho ejercicios (de hecho los hago cada mañana), me ocupo de tener todo listo siempre en la casa y he ido a pasear un poco y conocer la ciudad (la verdad no tanto porque no me gusta salir sola). He visto muchos venezolanos en esta ciudad vendiendo comida en la calle; una vez escuché a uno decir que era abogado y que prefería vivir aquí con poco dinero que seguir pasando necesidades en Venezuela por no tener empleo y el alto costo de la vida.

No me puedo quejar, en lo absoluto, sigo pensado que somos afortunados y agradezco a la vida esta oportunidad que nos dio. Estoy segura de que pronto también estaré trabajando, sin embargo, esto de ser "extranjero" tiene diferentes connotaciones en cada lugar, aquí siento que mucha gente nos aprecia, pero otra no tanto, muchos trámites son sencillos y otros que deberían serlo no lo son para nada, como por ejemplo abrir una cuenta bancaria... eso ha sido toda una experiencia.

Hay días en los que siento que mi cuerpo está aquí pero mi mente y mi corazón están en Venezuela con mi mamá, en su desayuno delicioso de los domingos, en las reuniones con mis sobrinos, en los recuerdos de mi hermano que ya no está pero está (porque siento que está aquí conmigo)... pero me reconforto al saber que estando aquí podemos enviar ayuda económica a nuestra familia, podemos pensar en tener hijos que crezcan con tranquilidad y que, a medida que pase el tiempo, nos iremos sintiendo más cómodos y felices de la decisión que tomamos, porque no se puede vivir en el pasado siempre, se debe disfrutar el presente y pensar en el futuro, creo que por eso seguiremos aquí, transitando esta experiencia y haciendo de ella lo más especial que sea posible hasta que podamos regresar a nuestra amada Venezuela.

Comentario:

Puedo atreverme a afirmar que la gran mayoría de los emigrantes venezolanos somos exiliados, entendiéndose como todo aquel que se ve obligado a abandonar su país. ¿Cuántos de los que hoy estamos alrededor del mundo realmente deseamos irnos? Del deseo a la acción hay un gran trecho, el deseo no conoce de consecuencias hasta que la realidad se tropieza con ellas. El anhelo de vivir mejor es tan humano y real como nuestra existencia y ante una realidad tan cruda y difícil en Venezuela, sigue imperando la natural aspiración de vivir la única vida que tenemos en condiciones distantes de la miseria que está atravesando nuestro país.

El éxito de cada venezolano es un acierto para la nación entera, en un futuro cercano cada logro se va a convertir en un retorno productivo para el país, mientras tanto hay que vivir con intensidad cada segundo de libertad y oportunidad en otros espacios como una experiencia única que la vida se ha empeñado en hacernos vivir.

Miguelángel Martínez-Ruetter • 39 años • Nacido en Caracas, Distrito Capital • Actualmente en Caracas • Artista Plástico • Instagram: @mruetter

PREMATURA MADUREZ

Jamás imaginé cuán duro sería estar solo por tanto tiempo, jamás imaginé que la soledad estuviese dentro de nosotros. Siempre tuve una vida un tanto prematura en muchos ámbitos de mi vida, eso me hacía sentir bien, pensaba que si crecía más rápido, más rápido sería independiente y, como el que busca encuentra, ciertamente así fue... unos meses después de cumplir **18** años decidí emigrar y por la situación del país mis papás me apoyaron, cuestión que estoy seguro ha sido lo más duro que han hecho. No entendía la importancia de compartir con ellos hasta que me encontré en otro país sin ellos, a **1.114** km de distancia con una comunicación muy poco frecuente y una soledad que me visitaba cuando la euforia del vivir en otro país se iba. Fueron **3** noches las que han marcado mi camino hasta hoy. La del día **45** en la que un familiar, con quien no tenía contacto, me tendió la mano cuando lo necesité. La noche **75** donde intenté convencerme de que soy un niño y que no estoy preparado para esto y la noche **225** donde entendí que no podía seguir justificándome cada vez que cometía un error porque ya no estaba en mi casa bajo el cuidado de mis papás que lo aplaudían todo. Recibir año nuevo sin ellos fue triste, pasar mi cumpleaños solo fue triste, pero esa tristeza no ha sido lo suficientemente grande como para hacerme olvidar que las oportunidades son para aprovecharlas y que la vida es para vivirla, incluso con las aventuras que estamos ciegamente dispuestos a afrontar. Desde siempre he improvisado a diario lo que haré, no creo que deje de hacerlo, estoy a gusto con lo que he vivido y ansioso por lo que vendrá, le deseo mucho éxito a cada una de las personas que decidieron emprender este camino por el motivo que sea. Volveremos.

Comentario:

Hay simplezas que la vida nos va mostrando a medida que pasa el tiempo y hay prioridades que van dejando de ser importantes. El tiempo es el mejor filtro, tal vez el mismo tiempo sea el motivo que nos haga darnos cuenta de que no somos eternos, que el tiempo pasa implacable, sin excusas ni perdones.

Los objetivos cambian a medida que envejecemos, las ansiedades se aplacan, los prejuicios se destiñen y las alegrías son más simples y menos exigentes.

¿Por qué esperar a envejecer para darnos cuenta de eso? La respuesta es la falta de percepción que tenemos de nosotros mismos y del tiempo. Nos parece infinito a cierta edad, un desconocido que vemos rondar la vida de otros sin señales ni avisos de que somos los siguientes en la fila.

Simón Bustamante • 23 años • Nacido en Caracas, Distrito Capital • Actualmente en Caracas • Modelador 3D / Artista Digital • Instagram: @simonbusta

ANÓNIMO 22

LA VIVEZA CRIOLLA

Cuando salí de Venezuela, salí con muchos temores e incertidumbre.

¿Fracaso o éxito?

Caía, una y otra vez, en conceptos propios, trataba de definir qué era el éxito y qué dejaba de serlo; pretendía consolarme con planes alternativos en caso de que el principal no fuese lo que anhelaba. Tenía mi propia panadería en Venezuela, una pequeña pero productiva panadería. Comencé a sentir la escasez de la harina para preparar el pan y la limitación para conseguirla por los medios regulares, sin embargo, se conseguía a través de algún revendedor al triple de su precio, lo que aumentaba el coste de venta, que de por sí ya estaba regulado por el gobierno y obligaba a las panaderías a trabajar a pérdida. Empecé a sentir el desastre económico en el que estaban sumergiendo al país, donde el tráfico de alimentos comenzaba a dominar el mercado básico de materia prima, y ya cuando el modelo político y económico comenzó a afectar mi estabilidad y la de los míos fue cuando comencé a considerar emprender en otro sitio. Mi hijo estaba creciendo, 4 años, y yo era su único soporte.

Decidí venirme a Marsella, al sur de Francia, aquí vivía una amiga a la que le planteé asociarnos para este nuevo proyecto. Me costó muchísimo, en Venezuela no tenía mucho, la panadería no la pude vender, nadie quería un negocio condenado al hostigamiento y a los controles económicos del estado. La última vez que estuvo abierta fue el día en el que unos vándalos, que se hacían llamar "Inspectores de la superintendencia de precios justos", nos obligaron a regalar la producción de aquel día a una cola de personas que esperaban a que la lenta producción de pan fuera cubriendo la alta demanda, producto de la destrucción de la empresa privada. Ese día, ante el miedo de ver acabada nuestra empresa y seguir viendo cómo los números rojos llevaban a la quiebra aquel negocio, decidí cerrarla.

Me quedaban mi carro y unos ahorros, la casa donde vivía era propiedad compartida con mis hermanos, herencia de mi madre. Vendí mi carro y con los ahorros que tenía llegaba a 17.000 euros, la inversión eran 80.000 euros así que, en sociedad con mi amiga de toda la vida, decidimos arriesgarnos con un crédito y su aporte. Asociarme con ella me permitía estar de forma legal en Francia, ella es francesa por su abuelo así que todo parecía empezar con buen pie. Logramos conseguir un local a las afueras de Marsella, en una zona residencial, perfecto para una panadería. Me había formado durante un tiempo en la típica panadería francesa, era mi especialidad en Venezuela y tenía mucho temor de que mi técnica y mis creaciones fuesen muy distintas a las acostumbradas aquí. Me apunté para un curso en París de un mes, solo veía y absorbía todo lo que podía, era poco lo que entendía, a los franceses les molesta un poco que le hablen en inglés u otro idioma, así que tuve que tener paciencia. Mejoré mi técnica del *baguette*, el *boule*, el *Fougasse* y, desde luego, la del *croissant*.

Todo tenía un toque venezolano, un poco de canela, papelón y la mayor de las ilusiones vertidas en cada masa. El dueño del local que pretendíamos alquilar era venezolano, conocido del esposo de Rosa, mi socia. Firmamos un contrato de alquiler por un año donde nos exigía como condición, y por ser un local muy bien ubicado, cancelar un año por adelantado con un importante depósito inicial. Al final aceptamos, no queríamos correr el riesgo de que otro terminara aceptando estas condiciones y nos quedáramos sin ese punto estratégico que, prácticamente, garantizaba el éxito del negocio. Compramos todo para equipar la panadería, algunas cosas de segunda mano para que fuese más rentable. Era hermoso ver cómo una idea terminaba teniendo forma y que fuese propio de nuestro esfuerzo.

La tarde previa al día de la apertura, me llama Rosa diciéndome que el local había sido embargado por la policía, justificando una orden judicial que embargaba todas las propiedades del dueño por supuesta estafa en la venta de unos apartamentos y deudas con los bancos.

El dueño del local desapareció, se dio a la fuga, nunca más supimos de él ni de su familia. Por más demandas hechas y el gasto adicional en abogados, no hemos logramos mucho hasta ahora. Tuvimos que vender lo que compramos para ir pagando el crédito que habíamos pedido en sociedad. No puedo describir lo derrumbada que me sentía, un peso en mi cuerpo que jamás había sentido, no había motivos para sonreír, para salir de casa. El vacío indescriptible de no tener nada, ni aquí ni en Venezuela. Me sentía desamparada, vulnerable, sola. Deseaba, como una niña, poder oír el sabio consejo de papá y mamá. Nunca estamos lo suficientemente grandes cuando una situación como esta nos afecta, estaba necesitando un abrazo, una voz de aliento y no la conseguía.

Tengo 37 años, un chamo de 4 años, en otro país, sin dinero y con una deuda grande pero lo más pesado, lo que más impotencia me genera, es saber que aquel hombre, nacido en mi tierra, aquel padre de familia, aquel con el que comparto la misma bandera, el mismo amor por lo nuestro, me estafó. No sé si llamarlo viveza criolla o mala suerte, en medio de esta terrible situación no sé quiénes son los culpables, si nosotras por ingenuas y novatas o los demás por atrevidos y desalmados.

Voy a salir adelante, no me voy a dejar tumbar, sé que me va a costar mucho, sé que van a ser noches largas, trato de controlar la ansiedad con cigarrillos, poco funciona.

Comentario:

Aunque este relato nos dé a conocer una desafortunada historia donde la estafa es llevada a cabo por un venezolano perjudicando a otro venezolano, haré un esfuerzo por no caer en la generalización.

Durante la etapa de recepción de relatos, muchos fueron los que pedían hacer especial énfasis en las numerosas historias sobres estafadores venezolanos en otros países y este fue el seleccionado para representar esta triste realidad. Es inevitable no tocar el tema de la "viveza criolla", expresión que contempla y engloba una especial filosofía de vida, de querer siempre obtener alguna ventaja, de querer siempre recorrer la línea de mínima resistencia y mayor comodidad. Esta vergonzosa forma de actuar, por parte de nuestra sociedad, es un peso que ha logrado impedir que Venezuela progrese, desde el corrupto hasta el delincuente común, pasando por el policía de los refrescos hasta llegar al ciudadano común que hace de su vida un zig-zag para evadir responsabilidades.

Entiendo claramente que este relato es una historia muy particular pero representa también a los estafadores de boletos aéreos en Internet, venezolanos que, incluso desde Venezuela, juegan el deshonesto papel de beneficiarse, en muchos casos, de situaciones complicadas donde compatriotas sufren en otros países. La "viveza" está en nuestro código conductual social y es responsabilidad de todos criticarla y poner todo nuestro esfuerzo por contribuir al saneamiento social para que Venezuela sea el país que todos queremos, pero que muchos no están dispuestos a luchar.

Víctor Pérez • 21 años • Nacido en Caracas, Distrito Capital • Actualmente en Caracas • Ilustrador & Motion Graphics Artist • Instagram: @vedepeilustracion

DULCE AZAR

ANÓNIMO 23

Confieso que no sabía cómo comenzar a escribir mi historia. Cuando se comienza es tan duro que, como inmigrante, decidí paralizar mi mente y olvidar esas cosas que me afectaron por un momento y dejarlas atrás, pero ahora escribiendo y recordando, es cuando caigo en cuenta que fui tan valiente como todos los venezolanos que hoy en día tenemos que vivir alejados de lo que más amamos: Nuestra hermosa tierra y nuestra gente.

Todo comenzó un 23 de agosto cuando emprendí un viaje como muchos otros de "turismo", los seis meses de trabajo, ahorro y luego regresar a casa, pero no sabía que ese día me cambiaría la vida por completo. Llegué a Maiquetía, el famoso piso de colores y las famosas fotos de despedida, yo estaba tranquila porque sabía que regresaría, estaba segura de eso pero mi madre no. No entendía por qué ella lloraba tanto, yo le decía: "tranquila mami yo regreso pronto", pero pelear con los presentimientos de una madre es tiempo perdido. A su lado estaba él, mi pareja por cinco años, con el que compartía mi presente y parte de mi futuro, teníamos negocios en común y una vida recorrida, así que él estaba mucho más tranquilo porque obviamente dejé mucho allí como para no regresar. Comencé a despedirme de ellos, primero de mis hermanas que lloraban por temor, soy la más chiquita de las hembras pero la que nunca le tuvo miedo a nada. Luego de mi madre que, después de su abrazo, sentí lo que quiso expresarme, ella sabía que no regresaría. Después vino mi padre con un abrazo bien fuerte, deseándome lo mejor y al final él, sin lágrimas en sus ojos y yo con lágrimas en los míos, diciéndole "nos vemos pronto", ya que él viajaría a visitarme tres meses después.

Me fui en ese viaje llorando, primera vez viajaba sola y me despedía de mi país por un tiempo, tiempo que luego se volvió interminable. Llegué a Texas, un estado hermoso donde me recibió mi primo con los brazos abiertos, éramos trece en una casa para cinco, todos con las mismas metas, salir adelante. Conseguí trabajo bien rápido, comencé mi vida de inmigrante y, a los pocos días, quise más, conseguí otro trabajo, trabajaba 19 horas diarias, allí fue donde mi mente se comenzó a cerrar, a colapsar, ya no había tiempo de hablar con mi familia, solo tenía tiempo de descansar para volver a la rutina al día siguiente. Fue allí donde supe que no era nada fácil, trataba de mentalizarme en el tiempo, que pasaría tan rápido que apenas sería perceptible por mi agotada y enfocada cabeza.

No tenía carro, así que tenía que caminar de un trabajo al otro, con media hora de tiempo para llegar, ya que al salir de uno comenzaba el otro a la misma hora. Ahora que escribo esto, no entiendo cómo pude, me siento orgullosa de mí misma. Conocí a muchísima gente, era excelente en ambos trabajos (a pesar de mi cansancio), y es que hay algo que dejamos ver los venezolanos en el exterior, definitivamente sabemos salir adelante. Pensando en esos días, no sé cómo viví con 10 dólares en mi cartera por 15 largos, fríos y terribles días. Con el tiempo, logré comprar un carro y me comencé a acostumbrar a esta vida, ver a futuro y darme cuenta de que, si seguía así, desde aquí podría ayudar más a mi familia, pero no dejaban de hacerme falta, me hacían demasiada falta, aquí el café no sabe igual, las arepas no son cotidianas, es complicado conseguir una cachapa e, incluso, una hallaca hecha por mí misma no sabe igual; me faltaba mi gente, mi madre, mi padre, mis cosas, mi almohada, mi cama, mi vida y todo lo que dejé. Llegué a sentir ganas de regresar, ganas tan fuertes que me llevaron por unos días a planear mi regreso, pero luego algo me decía que continuara. Conocí mucha gente, escuché muchas historias, aún me asombro de haber llegado a este país por aire, muchos llegan por tierra o nadando. No importaba qué fronteras nos habían visto crecer porque aquí solo somos inmigrantes, aquí de nada vale mi título ni una profesión cuando el día a día se te va limpiando mesas y pisos con el agridulce consuelo de saber que ganaba muchísimo más de lo que ganaría en mi país, producto de mis años de estudio de abogacía.

Pasaron las semanas y ya estaba más acostumbrada a la rutina, mi familia me preguntaba sobre mi regreso a Venezuela y yo no sabía qué decirles, ya no quería regresar pero decirlo les causaría mucho dolor, no podía dejar toda mi vida atrás así como así. Los meses pasaban y conocí a una persona que me ayudó muchísimo, se hizo mi amigo y confidente, pasó por lo mismo que yo, así que tenía muchos consejos y fuerza que me ayudaban a salir adelante. Gracias a él y a mi familia, que estaba aquí animándome, yo lograba culminar mi día de trabajo. Esa persona fue invadiendo mi corazón sin pedir permiso, apenas habiéndolo notado, se fue apoderando de un corazón que estaba con alguien más en Venezuela, asumí que era solo consecuencia de la distancia y la soledad.

Llegó el momento en que mi pareja viajara a visitarme, estaba demasiado feliz, al fin lo vería, al fin recibiría abrazos y cargas de energía para poder continuar y que se sintieran orgullosos de mí. Ese día de noviembre él viajó, pero desgraciadamente él fue el único al que inmigración lo detuvo, lo interrogaron, le revisaron todo y vieron las conversaciones conmigo, le obligaron a decir la verdad, venía a ver a una ilegal, a una sin papeles, a una delincuente. Le quitaron su visa para siempre y lo regresaron como a un delincuente más, allí sentí que no lo vería más nunca y así fue, sentí que Dios me estaba dando una señal. Decidí dejarlo todo, decidí desprenderme de los hilos que me ataban a Venezuela, decidí quedarme a pesar de que tal vez no volvería por mucho tiempo. Solo le pedía a Dios por mi madre que no se enfermara y que a ninguno les pasara nada, ese es el temor más grande que tenemos cuando emigramos, estar tan lejos cuando más nos necesiten allá. Mi relación se acabó y tenía que continuar sin pensar en lo que dejaba. El rencor se apoderó de él y decidió dejarme sin nada, todo lo que teníamos en común, toda la inversión, los negocios, el esfuerzo de años ya no estaban más de mi lado.

Empecé a darme cuenta de que era una máquina de obtener fuerzas de la nada. Cada golpe, cada hora de trabajo y esfuerzo lograba convertirlos en esperanza. Aquella persona que conocí aquí se convirtió en mi alma gemela, en mi apoyo incondicional, en mi motivo para seguir luchando sin importar lo que dijeran los demás. Dios me hizo sentir que esa persona me estaba esperando aquí. Todo fue producto de los días, el destino conspiró para que sucediera, no hay otra conclusión más acertada. A los meses me propuso matrimonio, decidí dejar todo por él, nunca me arrepentiría de eso, siento que fue la mejor decisión, desde entonces mi vida ha sido un poco más tranquila, tengo un apoyo incondicional a mi lado, a pesar de la distancia y la falta que me hacen los míos. Se abrió una luz en mi camino, ya que gracias a él estoy optando para ser residente y así poder a ver a mami muy pronto.

Puedo decir que soy intensamente feliz, que tengo todo lo que un día soñé y después de tanta tormenta finalmente llegó la calma. Definitivamente Dios tenía esto escrito para mí e, incluso, también para mi ex quien terminó casándose con una amiga. La gente que queda allá no se imagina lo que hay detrás de nuestros viajes, la mayoría no nos atrevemos a hablar lo que pasamos, solo mostramos fotos bonitas, sitios mágicos pero nadie sabe lo que hay detrás de ellas y lo que cuesta sacar una sonrisa muchas veces. No nos atrevemos a contarle a nuestras familias por lo mucho que pasamos, cuando no tenemos ni para comer porque simplemente queremos que estén orgullosos, tranquilos y sin preocupaciones.

Comentario:

Durante los años que tengo viviendo fuera de Venezuela he conocido a varias personas que, por mantener la calma en su familia, les ocultan la realidad que viven en otros países, historias de xenofobia, de explotación laboral y algunas otras mucho más intensas. Países como Estados Unidos se benefician enormemente de la inmigración productiva, personas que realizan el trabajo que los propios americanos no harían, la base del motor económico de las grandes potencias está en los trabajadores, muchos de ellos en situación irregular, siendo precisamente esta la razón para trabajar muchas veces sin condiciones. La gran mayoría de los jóvenes que se van del país llevan consigo un título que, para muchos, es solo un vestigio de lo que eran, un estímulo inerte, una fotografía momentánea del esfuerzo alcanzado.

• **Vanessa Iacono** • 33 años • Nacida en Caracas, Distrito Capital • Actualmente en Miami • Psicóloga y Artista Plástico • Instagram: @viaconog

ANÓNIMO 24

NUEVA XENOFOBIA

Llegué a Ecuador en abril de 2015, para esa fecha era un destino bastante sonado en Venezuela para aquellos que no podíamos irnos a Europa o Estados Unidos.

¿Por qué Ecuador?

No es una pregunta que tenga una respuesta lógica. Me fui por desesperación, estaba en 4to. año de derecho en la universidad de Carabobo y, sin el apoyo familiar que quizá la mayoría puede tener, me fue imposible seguir la carrera. Los conflictos con mi padre por el alcohol y el tema político eran el día a día en mi vida.

Mi padre es un camionero de toda la vida, mi madre era peluquera pero luego estudió Derecho en la Universidad Bolivariana y ahora trabaja en el gobierno, en la superintendencia de los precios justos, siendo parte del desastre que vive Venezuela. Teníamos una relación básica de familia pero desde que mi conciencia fue volviéndose crítica y autónoma sobre la situación nacional, la distancia entre mis padres y yo era la misma en Venezuela que la que existe estando ahora Ecuador. Ellos siguen defendiendo lo indefendible. No tenía motivos para estar allá, entre una vida imposible de costear y una familia que apoyaba las causas de mis dificultades en Venezuela, decidí irme a Ecuador donde unos amigos que ya tenían varios meses.

En Ecuador comenzó una nueva etapa, una etapa que aspiraba a ser el trampolín que me permitiera hacer lo que planifiqué y mi país no me dejó. La realidad fue muy diferente, luego de un mes buscando trabajo fallidamente, logré conseguir un empleo. Consistía en cargar cajas en una pequeña finca en Guayaquil. Pasé por los casos de acoso y machismo más crudos y fuertes que jamás había vivido, mi jefe solía justificar su trato hacia a mi diciéndome que en Ecuador por lo menos tenía para limpiarme el culo.

Desde el principio, su trato fue abusivo, me trataba y me gritaba sin tapujos: "Mueve ese culo mujer, si te da flojera ponte a parir para que sientas lo que es bueno... Si no te gusta devuélvete a tu país". Llegaba a gritarme tan fuerte que algunos clientes lo confrontaron en mi defensa, pero él siempre justificaba que eran bromas.

Sus palabras siempre incluían algún gesto jocoso, como para aminorar las palabras, suavizar los insultos. Lloraba cada noche, lloraba hasta quedarme dormida y empezar un nuevo día. El tope de mi paciencia fue alcanzado cuando mi jefe me ofreció 100 dólares por sexo oral: "¿Venezolana si te doy 100$ me la chupas?", sacándose su asqueroso miembro al aire que apenas podía tocárselo por su enorme barriga. En ese momento se me nubló la visión de la rabia, mi corazón latía tan rápido que no tardé en mirar alrededor para buscar algo que pudiera tirárselo y calmar ese impulso primitivo. Mi cara temblaba, mis manos temblaban, empecé a sentir que respiraba con dificultad, mi cuerpo solo pedía atacarlo y eso hice. Me dirigí a él sin pensar, sin sentir, sin percibir peligro, lo golpeé como pude. Sentí hasta donde la mente y el cuerpo son capaces de llegar, no hay forma de contener algo que crece y crece. Mi rencor tomó forma, se apoderó del miedo y solo hice lo que mis piernas y brazos ordenaron: atacar.

No sé cuánto daño le pude haber hecho, sinceramente creo que ninguno. Luego de parar por unos segundos, me di la vuelta y salí corriendo. Estuve en casa una semana sin salir del miedo, pensaba en las consecuencias de aquel día donde mi dignidad se expresó en su forma más descontrolada. Al final me llené de valentía y salí nuevamente, a buscar, a encontrar.

Dos amigos venezolanos tenían ya una semana en Guayaquil, compañeros de Caracas. Ante la desesperación de llegar a este país con tan poco, cedieron ante sus propias aspiraciones de llegar para vivir mejor. Empezaron a vender jugo de naranja en los semáforos de la ciudad. Compraban los sacos de naranjas y lo preparaban en casa. Caminaban kilómetros todos los días, cargando con las cavas para ahorrar el pasaje. Ganaban lo suficiente para mantener el sueño vivo. Me dijeron para trabajar con ellos y así fue. Empecé a exprimir naranjas, a caminar hasta algún semáforo y a estar de pie horas y horas. El calor en Guayaquil era asfixiante, usaba gorra, me protegía del sol, usaba protector solar pero, sin embargo, el bronceado me hacía irreconocible ante las llamadas de video con mi familia. Antes de salir, era rutina diaria usar adhesivo en los pies para evitar las ampollas, evitar que aparecieran unas sobre otras. Mi cuerpo experimentó el esfuerzo del trabajo, cambié yo, cambió mi cuerpo y cambió mi ánimo.

A todas estas mi familia sabía mi realidad y durante esos momentos de soledad donde la mente no para, venían a mí recuerdos difusos de mi adolescencia que, no puedo negar, hoy me generan cierto resentimiento, cierto apego emocional que en momentos de tristeza uso como justificación ante mis dificultades, buscando culpables y es cuando pienso en mis padres.

Tenía 16 años, recuerdo claramente ese día. Un mitin de Chávez, fui con mis padres quienes sienten una estima emocional por ese personaje que supera sus capacidades de raciocinio. Estuve frente a él, casi lo toco, impresionaba un poco su altura, su ímpetu al andar, bañado por olas de amor de miles aquel día. En mí siempre existieron dudas sobre lo que Chávez tenía como ideal pilar, dudas que al ser planteadas a mi padre, un gandolero que nada aportaba al proceso más que su irracional voto, eran justificadas con cierto desaire emocional. Mi madre, una Abogada graduada de la Universidad Bolivariana, que antes se dedicaba a la peluquería, es hoy parte de la plantilla de empleados de algún ministerio en Venezuela. Con 16 años ya eran frecuentes las discusiones en casa sobre el tema político, tanto que a esa edad decidí vivir con mi abuela.

Empecé Derecho en la Universidad de Carabobo, llegué al cuarto año de la carrera, mi situación y visión de futuro en Venezuela me hicieron tomar decisiones. Emigré sin culminar mi carrera, la desesperanza fue la que ganó esta vez, una caída más con las alas rotas. Aunque logré mis metas en otros terrenos, siempre va a existir en mí la sensación de orfandad... ver cómo las hienas atacan a sus cachorros y seguir justificando su hambre, en eso se han convertido mis padres.

Fueron tres meses los que estuve en Ecuador, luego de muchas ampollas en los pies, unos kilos menos y algo de dinero, decidí irme a Perú. La forma más económica es en bus, crucé la frontera rodando. Me tocó dormir un par de noches en la calle, literalmente en la calle mientras conseguía dónde establecerme.

Hoy me siento mucho mejor, escribir este relato logró frenar el sentimiento de dolor que me genera vivir la experiencia del ideal fanático, sentir sus consecuencias y conocer, en primera persona y desde casa, al monstruo que es capaz de devorar conciencias. Me siento bien, me siento en paz, no hay rencores.

En Perú logré trabajar como secretaria de un abogado, espero empezar alguna carrera de nuevo y seguir adelante. A los venezolanos se nos ha otorgado un permiso provisional que nos permite vivir y trabajar en el Perú. Algún día mis padres tendrán la visión del pasado y el futuro exitoso que estoy dispuesta a conseguir. Algún día, cuando todo esto acabe, mis éxitos serán las mejores palabras de perdón y demostración hacia ellos. ¡Qué viva Venezuela y que podamos vivir nosotros en ella!

Comentario:

Parecería absurdo abrir el debate de la xenofobia de latinos contra latinos, comentarios de odio hacia los nuestros, discriminación en la tierra del mestizaje y la historia en común. Ocurre en la última década de la gran migración venezolana que comenzó a girar hacia el sur de América, cambiando rumbos tradicionales como Europa y Estados Unidos. Han comenzado a salir a la luz relatos e historias de odio y xenofobia. Los países de Latinoamérica que no han caído en el agujero negro, en la tragedia social o aquellos países que han retomado el curso racional de su sociedad, son destinos atractivos para los venezolanos. Sudamérica es un destino más económico y algunos llegaron a suponer que una vida en algún país hermano pudiera ser más cálida que en el norte.

Venezuela fue el país de las oportunidades para miles de latinos, este relato es un mensaje, un llamado a todos los países latinoamericanos y del mundo, a que entiendan que nuestra migración es una cuestión de vida o muerte, que así como Venezuela fue la cuna y el hogar para muchos cuando sus países vivían dictaduras o hambrunas, es hora de comprender que este es nuestro momento oscuro, nuestra etapa difícil y todos los que decidimos estar en otro país lo hacemos con emoción, con sueños, con esmero y ansias de contribuir a cualquier sociedad para hacerla mejor.

Este relato demuestra cómo el adoctrinamiento político es capaz, incluso, de convertir a unos padres en cómplices de la desgracia y el fracaso de sus hijos. Que ningún país en el mundo permita que el fanatismo por un megalómano esté por encima de la familia y de la cordura.

Simón Bustamante • 23 años • Nacido en Caracas, Distrito Capital • Actualmente en Caracas • Modelador 3D / Artista Digital • Instagram: @simonbusta

COMO NÓMADA NEANDERTAL

ANÓNIMO 25

Cada vez que me preguntaba a mí mismo ¿cómo podía ser más feliz?, siempre respondía: Viajando, viajando mucho.

Desde que me fui de Venezuela buscando lo que me haría más feliz, he sido un nómada, un nómada al mejor estilo Neandertal. He hecho tantas maletas como personas he conocido, he vivido en habitaciones alquiladas y cuando mejor me ha ido, he estado en un apartamento completo para mí solo. He conocido tantas personas, tantos amigos que mi Facebook ya parece un "arroz con mango" cultural. ¿He sido feliz como lo imaginaba? Bueno, no me quejo, le ha dado una nutrición cultural a mi vida, he hecho lo que siempre había querido hacer y también aprendí que los sueños son caprichosos y son dependientes de la edad.

Ahora solo quiero estabilidad, quiero tirar las maletas y olvidarme de viajar. Quiero saludar al de la panadería con confianza, quiero hacerme amigo del vecino, quiero inscribirme en algún club social y frecuentar con la misma gente, quiero sembrar raíces, quiero decir: "Aquí crecí, aquí he vivido toda mi vida... soy de aquí".

Cuando la idea consoladora de saber que vengo de otro sitio ya no me satisface, porque el cuerpo comienza a pedirme ser, estar y formar parte de un espacio más físico que emocional, es cuando más he querido volver a Venezuela, es cuando más he extrañado esos años que hoy veo en retrospectiva y eran casi perfectos. Es un sentimiento que bloqueo de forma automática, como un candado que a veces se abre caprichosamente, únicamente yo tengo la llave, el control para saber manejarlo. Por ahora me conformo con mis maletas siempre listas, aprendiendo a llevar siempre poco equipaje y muchas ganas de seguir adelante.

Comentario:

Algún sabio amigo de poca confianza, un amigo circunstancial, me dijo: "Uno pertenece al sitio donde más lo quieran", esa frase me quedó grabada en la memoria cotidiana, esa que no te deja en paz, que te martilla el recuerdo. "Ser de donde más te quieran", y sonará un poco dependiente afectivamente... "Si me quieren soy de aquí", sí, ciertamente esconde algo de necesidad de afecto, pero así somos. El mejor ejemplo son los inmigrantes en Venezuela, los portugueses, italianos, árabes que llegaron a este país y del cual están reacios a abandonar. Es admirable escuchar a un hombre de 80 años, con su fuerte acento español o portugués, decir que no regresará a su país de origen, que su vida está en Venezuela y ahí va a morir. El que deja su tierra busca en otras lo que más necesita, integración, familia y estabilidad.

Franklin Paz • 26 años • Nacido en Maracaibo, estado Zulia • Actualmente en Maracaibo • Diseñador Gráfico y Caricaturista • Instagram: @pazcaricatura

DESDE AQUÍ

ANÓNIMO 26

Hace cuatro meses que me encuentro sobrellevando el hecho de que una de las personas que más ha tocado mi corazón se encuentra en otro país, en otro continente, tan lejos que tengo que luchar con mi reloj biológico y las 10 horas de diferencia que nos separan.

No sé si él se anime a contar su historia, pero estoy dispuesta a contar la mía desde este lado y ojalá él no lea esto porque a diario lo oculto... oculto todo lo que sufro cada vez que me dice que salió a repartir currículos, que se cansa de buscar trabajos en panaderías, tiendas de zapatos sin conseguir nada.

Me dice: "No es nada fácil buscar trabajo, pero voy a seguir luchando. Siento una enorme impotencia por no poder hacer algo para ganar dinero, ayudarte a venir conmigo pronto". Por otro lado, aquí estoy yo, tratando de ocultar mis sentimientos cada vez que alguien aquí me pregunta por él, cada vez que algún imprudente dice algo inadecuado y me afecta tanto.

Por ahora, me parece increíble que el Skype y las llamadas de whatsapp sean mis mejores aliados. A veces me pregunto cuánto tiempo me queda en mi país, trato de disfrutar cada detalle aquí, de vivir todos los momentos especiales con mi familia y amigos, para cuando el momento de irme llegue, no me arrepienta de no haberlos aprovechado. Debo confesar que estoy llena de miedos, dudas y que tengo el corazón dividido. A veces quisiera encontrar alguna respuesta pero sé que solo yo la puedo tener. No quisiera irme y dejar a mi familia, amigos, proyectos. Pero, por otro lado, pienso si vale la pena vivir así, llena de temores e inseguridades, trabajar mil horas para no poder comprar nada porque no hay.

Lamentablemente, el país y las esperanzas se nos fueron de las manos y, aunque creo fielmente que el cambio llegará pronto, también estoy segura de que pasarán años para que pueda notarse, y no estoy segura de querer estar aquí mientras eso pase.

Comentario:

Los venezolanos vivimos una especie de luto subestimado, subconsciente. El luto de perder un país en el que crecimos y que ya no existe, un país que ha muerto lentamente, amigos que ya no están, abrazos y momentos que ya no se repetirán. Nadie lo dice pero se siente, es una etapa que pocos reconocen. Ciertamente los países nunca mueren, se reinventan, renacen de las cenizas y, aunque muchos sintamos que nada será como antes, debemos entender que la historia es repetitiva y lo que empeora suele mejorar. Nos hemos ido para ser mejores, hemos aprendido a valorar el sentido de pertenencia. No importa que la sensación de pérdida, por ahora, sea permanente; sabemos que renacerá otro país con las mismas raíces, como el árbol talado que se niega a morir.

En el momento que este proyecto fue pensado fue con la visión de conocer las realidades de aquellos que se van, analizar sus conductas y cambios que se ven obligados a hacer para amoldarse a un entorno. Durante la etapa de recepción de relatos fueron cientos los escritos enviados por venezolanos desde Venezuela. Fue sorprendente cómo la espontaneidad llevó a aquellos que pensamos que no tenían mucho que contar o nada que no supiésemos los venezolanos sobre la vida en nuestro país... Me equivoqué, la migración afecta tanto a los que se van como a los que se quedan.

Norella Monsalve • 28 años • Nacida en la Isla de Margarita, estado Nueva Esparta • Actualmente en la Isla de Margarita • Diseñadora Gráfica e Ilustradora • Instagram: @n2m.studio

NI DE AQUÍ NI DE ALLÁ

ANÓNIMO 27

Mis armas de guerra: una agenda por estrenar, una lista de cosas que no quiero repetir y la menor idea del rumbo que quiero que tome mi vida.

Por suerte esto no ha sido así desde siempre. Hace tres años me vanagloriaba de haber cumplido metas que parecían inalcanzables, tenía todo lo que deseaba tener, jamás había estado tan segura de lo que era y de lo que quería ser. Mi trabajo, que desde el primer semestre luché por tener, amigos por montones, ningún fin de semana desechable y una pareja de 5 estrellas. Aún no logro definir si fue para bien o para mal que nací perteneciendo a los Millennials y, por alguna razón, debía cuestionarme lo incuestionable en ese momento. Ahora viéndolo desde otra perspectiva, me atrevería a decir que dejándome guiar un poco por la corriente social, entré al grupo de los "EMIGRANTES".

Soy profeta de la responsabilidad de crearnos a nosotros mismos, nuestra vida es la consecuencia de nuestras acciones, es por esto que culpar al gobierno, a la falta de apoyo, a la falta de dinero no puede ser punto de partida porque hay quienes, en el mismo ambiente, supieron vencer adoptando el provecho de un país destruido, y es que desde la cenizas se construye un imperio con alta capacidad de resiliencia. Hay quienes aseguran que no existe mejor manera de triunfar que dentro de un país lleno de carencias donde las ideas son únicas e innovadoras y la competencia está extinta. Es por esto que me permitiré contar mi historia desde lo personal, enterrando los incontables mitos sobre la revolución y sus daños.

Luego de 2 libros de autoayuda, 150 búsquedas en google y decenas de experiencias escuchadas, tuve el valor, locura, inmadurez o capaz fortuna de entregar mi carta de renuncia al país donde me veía viviendo por el resto de mi vida. Jamás tuve necesidad de salir de Venezuela, jamás quise irme, jamás quise dejar la vida anhelada. Son vanos mis intentos por explicar qué me llevó a irme, lo hice con extremada falta de criterio, por querer vivir lo que mi generación estaba viviendo. Sabía que era atrevido irme sin un plan, pero en caso de que yo estuviese segura de que tenía la vida perfecta, ¿por qué temer a enjuiciar esta premisa dándome un tiempo sabático para hacer cosas diferentes? Es atrevido cuestionarse si lo que se está haciendo es realmente lo que te asegurará la felicidad que nos prometen. En ese momento me sentía llena de adrenalina y con esa misma emoción, y sin pensarlo, me compré un pasaje y dentro de 60 días estaría saliendo a un sitio que jamás había visitado. En esos 60 días, en algún momento, la adrenalina tenía que bajar y así fue, no me quería ir, estaba segura de que a partir de este momento, por primera vez, todos mis pasos serían en falso.

Llegué a mi destino con una mezcla de emoción, aventura y dolor. Admito que no fue muy difícil encajar en el juego local, pronto conseguí un trabajo, un sitio acogedor donde vivir y una rutina no muy fuerte de sobrellevar. Respecto a mi vida anterior todo había cambiado, mis hobbies, mi manera de vestir, el clima y hasta mi humor. No era algo que me desagradaba, sin embargo el no haber tenido un plan para esto, hacía que anhelara mi vida pasada. Entendí lo que todos los venezolanos en el extranjero buscan, mejorar su calidad de vida y establecer su economía, y estoy de acuerdo pero ¿vale la pena estar media vida sin ver a tu familia para que tu economía agarre fuerza? ¿Merece la pena acostumbrarnos a no disfrutar el día a día por el trabajo de 12 horas que se necesita para pagar la renta? Entonces caí en un pozo negro que no me permitía ver, lo que veían mis paisanos, lo "privilegiados que somos por estar fuera de ese país del infierno económico y social". ¿Debo agradecer por el dinero y dejar a un lado la espiritualidad?

Empecé a sentir que no necesitaba tener dinero en ese país donde no conocía personas con quienes disfrutarlo. Realmente quería ver a mi familia todos los días al llegar a casa, quería contarle a mi novio cómo me fue y tener con quién cenar pero, por alguna razón, todos me decían que debía aguantar si quería tener una vida mejor. ¿Una vida mejor? Me esforcé por animarme y verle sentido pero estaba arrepentida de haberme ido y comenzaba a deprimirme. En ese momento podía sentir sobre mí la mirada del Dalai Lama preguntándome qué estaba haciendo con mi vida, ese era el mayor ejemplo de la cultura budista sobre cómo no hay que vivir. Fue así como, con determinación, decidí regresar a Venezuela, extrañé tanto por tanto tiempo que merezco volver a sentirme en casa. Volví a renunciar a todo lo que tenía pero esta vez con una sonrisa en la cara, nada de lo que estaba haciendo me llegó a llenar el alma, ya era momento de dejar de perder mi tiempo.

Hoy, escribo desde Venezuela, vine ansiosa de ver lo que por mucho tiempo me hizo feliz y, desgraciadamente, no quedan rastros de lo que esperé ver... me siento visitante de un lugar que solía ser mío, mi ciudad está diferente y desconozco a sus habitantes, éramos alegres y serviciales, ya eso no es así. De mis amigos no queda ninguno que no haya emigrado y mi familia es la tercera parte de los que solíamos ser. Vine a mi lugar a encontrarme y no conseguí ni mi lugar. Quiero regresar, pero ya no sé a dónde. Si hay algo de lo que estoy segura es que este no es mi lugar y de dónde vengo estoy segura que tampoco lo es. Ando de paso por un sitio que me recuerda a la mejor época de mi vida, tengo la cabeza llena de incertidumbre, por primera vez tengo la necesidad de emigrar y no sé por dónde empezar.

Comentario:

Este es uno de los relatos que mejor me identifica, creo que a muchos de ustedes también. Aprendemos que la felicidad es un estado emocional independiente del sitio pero sí de lo que lo compone. Para muchos, regresar a Venezuela durante una temporada, como decisión definitiva o solo de vacaciones, ha sido un golpe contra el muro más inconsolable que exista. Pensar que la felicidad será siempre felicidad en el sitio donde nacimos es una utopía que muchos hemos tenido que encarar. Los sitios los hace la gente. Les habrá pasado a muchos que primero no les gusta una ciudad o un espacio pero luego se enamoran precisamente por quienes allí viven y a quienes allí han conocido. Que el día del retorno, la alegría de los recuerdos vuelva a reencontrarse con todos aquellos a los que les pertenece.

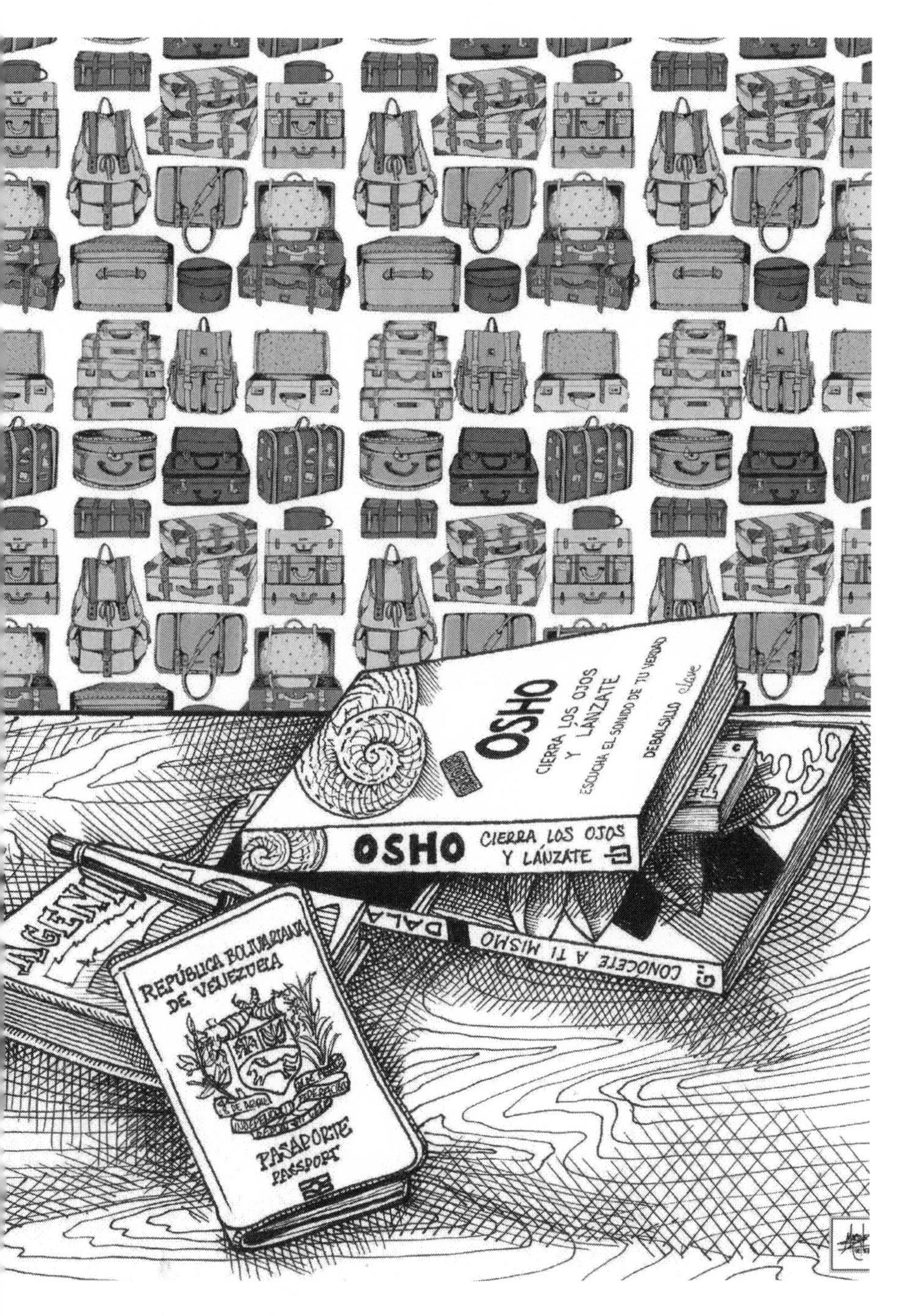

Miguelángel Martínez-Ruetter • 39 años • Nacido en Caracas, Distrito Capital • Actualmente en Caracas • Artista Plástico • Instagram: @mruetter

NAVIDAD EN BARCELONA

Está por llegar otra navidad, otro año más lejos de casa. Me ha pasado que le he restado cada vez más importancia a estas fechas, no podría darles el mismo valor que tenían antes en Venezuela cuando todo era alegría, unión, comidas, cohetes, música e interminables horas de hermandad y familia. Los primeros años me afectó bastante (aunque nunca he estado solo) y sentir cómo he perdido ese pedazo de alegría de mi vida me ha vuelto alguien frío para lo que solía ser. Es 23 de diciembre de 2016 y estoy reunido con unos amigos venezolanos en Barcelona haciendo hallacas para la cena de mañana. ¡Qué no las pruebe mi madre! No han quedado malas pero ni cerca a las que hacen en casa. Hicimos 50, fue fácil conseguir la hoja y mi amigo hizo el guiso. Tomamos algo mientras escuchamos algunas gaitas, estamos todos contentos, aunque hay momentos de silencio donde supongo que damos espacio a los mejores recuerdos de la Navidad en Venezuela. Durante mi silencio vienen recuerdos fugaces de mi niñez, recuerdo cómo ya en noviembre comenzaban a aparecer los aguinaldos de RCTV y Venevisión. Mi mamá tenía el televisor encendido todo el día para salir corriendo a ver los cinco minutos de aguinaldos que pasaban dos o tres veces al día... Cada año los canales se las ingeniaban para producir y competir entre ellos: "¡¡¡Los aguinaldos!!!", gritaba mi hermano y todos corríamos al sofá de la sala.

Fueron varios los momentos de silencio mientras saboreaba una cerveza, al otro lado de la mesa mis amigos concentrados en enrollar bien la hallaca, lo intentaban una y otra vez.

No tengo en mi memoria recuerdos de haber creído en El Niño Jesús ni en San Nicolás, mucho menos en los Reyes Magos. Mis momentos de alegría eran ver cómo mis hermanos se entusiasmaban con la ilusión de pensar que había alguien que mágicamente entraba a casa a dejarles regalos. El mejor día era el 25 de diciembre, cuánta alegría, cuánta diversión con aquellos regalos.

Se interrumpe mi silencio una vez más: "Chamo no es así, primero tienes que engrasar la hoja y después la masa", le decía a Raúl, un amigo andino que invitamos a casa sin conocerlo mucho, únicamente por saber que era su primera Navidad solo y sin familia.

Fueron llegando más amigos a mi casa, cada quien traía algo. Entró Luciana bailando al son de la gaita que sonaba en ese momento, dejó la bolsa en la mesa y tomó de la mano a Carlos para dar un baile corto de bienvenida. Todos sonreían.

El sonido de un cohete en la calle volvió a dejarme en silencio mientras recogía la mesa y comenzaba a recordar. Diciembre de 2000, mis tíos habían comprado una cantidad de cohetones increíble, era la euforia de la noche de fin de año; empezaban a sonar todo tipo de cohetes mientras los pequeños solo mirábamos al techo con los ojos brillando del resplandor que las luces dejaban esa noche en Venezuela. Hice un esfuerzo por recordar cuándo había sido la última vez que estuve con mi familia tirando cohetones. No di con la fecha. Luciana me tomó de la mano para bailar una canción de Guaco, interrumpiendo de nuevo mi mirada perdida... este ambiente es lo más cercano a pasar una noche de diciembre en Venezuela. Llegaron un par de amigos catalanes a la casa a contagiarse de aquel sabor caribeño.

El 24 de diciembre tuvimos una cena deliciosa, los sabores explotaban en mi boca, era una incesante lluvia de recuerdos, de sitios y personas que no estaban en aquella mesa. La familia nunca queda fuera de una cena como esa, aunque se esté a miles de kilómetros; en una cena de Navidad se lleva a la familia, yo la llevé conmigo en cada sonrisa, en cada bocado, en cada brindis.

El 31 de diciembre llegó, se acababa otro año más. Mis amigos y yo decidimos ir a recibir el año en la calle, contagiarnos del ambiente. Tal vez ninguno quería darse el abrazo de feliz año y quedarse en casa recibiendo recuerdos y añoranzas de los que no estaban.

Salimos a las calles de Barcelona, todos vestidos con trajes y las chicas con vestidos propios de una ocasión como esa. Llevamos gorros, pitos, papelillos, serpentinas y unas botellas de cava. Fuimos a la torre Agbar para ver el show de luces de la torre pasada la media noche. Éramos unas 15 personas, entre venezolanos y catalanes, salimos con alegría, bromeando de cualquier cosa, entregando nuestro increíble ambiente de buen humor y alegría al resto que parecía disfrutar una noche más entre tantas.

Llegan las 12 horas de aquella noche fría en Barcelona, en medio de los cohetes y entre tanta gente llamé a mi mamá. Le di el feliz año, apenas escuchaba con tanto ruido. Solo me dijo con un tono de voz neutro, seguro para no hacerme sentir mal, que estaba sola en casa (mis hermanos están en Chile y mi gemelo está conmigo). Ese momento pasó de ser de euforia y abrazos, a tristeza y culpa que no supe controlar. Esa noche me fui a la cama temprano, no iba a disfrutar como quería. Deseaba transportarme hasta ella y darle un abrazo que durara toda la noche. Los silencios siguen invadiéndome, los recuerdos no tienen tregua, hay que disfrutarlos, valorar que esa vida nos hace lo que somos hoy.

Comentario:

La soledad acompaña casi siempre a los que se van, pero es igual de dura para los que se quedan solos, los que siguen en sus casas ahora deshabitadas. La Navidad para el venezolano es particularmente especial, esto lo aprendí en el exterior, al vivir la época navideña en otros países. No tienen el mismo sabor, el mismo humor, el ambiente es opaco y para muchos es un día más del año frente a la TV. Los venezolanos comenzábamos a respirar la Navidad desde octubre, son los mejores recuerdos que todos podemos almacenar. Quiero volver a vivir esa época, quiero que vuelva el olor navideño, la alegría en las calles, la época de regalos y de intercambios. ¡Qué el mejor combustible para seguir luchando sea volver a vivir una Navidad en nuestro país! Y que darnos un abrazo de feliz año ya no sea una añoranza.

Ciro Andrés Márquez • 22 años • Nacido en Maracaibo, estado Zulia • Actualmente en Maracaibo • Comunicador Social / Ilustrador • Instagram: @mrciroandres

DIVORCIO TEMPORAL

ANÓNIMO 29

Una vez leí que irse de Venezuela era divorciarse estando enamorado. La verdad es así. Dejé una vida, mi idioma, mi carrera por un tiempo, mientras aprendo otro idioma. Me hace falta mi familia, el amor de mis padres, mis amigos que no dejo de extrañar ni un día. Todos ellos están regados por el mundo y están como yo, intentando cada día ser lo mejor de Venezuela en el mundo. Espero que algún día, en un punto medio, nos encontremos. Yo escapé de la violencia y la persecución por pensar políticamente distinto, estoy aquí pero mi corazón está en mis país. Le pido a Dios que ayude a Venezuela y que salgamos de este sistema que le ha hecho tanto daño a la sociedad. Gracias Venezuela por todas las oportunidades, los momentos, los amores y las enseñanzas, sé que cuando regrese no habrá ni un esbozo de esta pesadilla. ¡Fuerza!

Comentario:

El reto para muchos es no divorciarse del país, convertir esto en una separación terapéutica y temporal. Otros deciden divorciarse definitivamente de lo que ha sido su vida en Venezuela, algunos con razones de sobra y con legítimo derecho de empezar una nueva vida. Indiferentemente de la relación que tengas con Venezuela, ya sea de divorcio o separación temporal, lo que realmente importa es aceptar que somos lo que somos por el país en el que crecimos, le debemos nuestra personalidad, nuestra formación y nuestra actitud con la vida.

Laura Pereda • 34 años • Nacida en Caracas, Distrito Capital • Actualmente en Madrid • Diseñadora Gráfica – Ilustradora • Instagram: @lau_ilustra

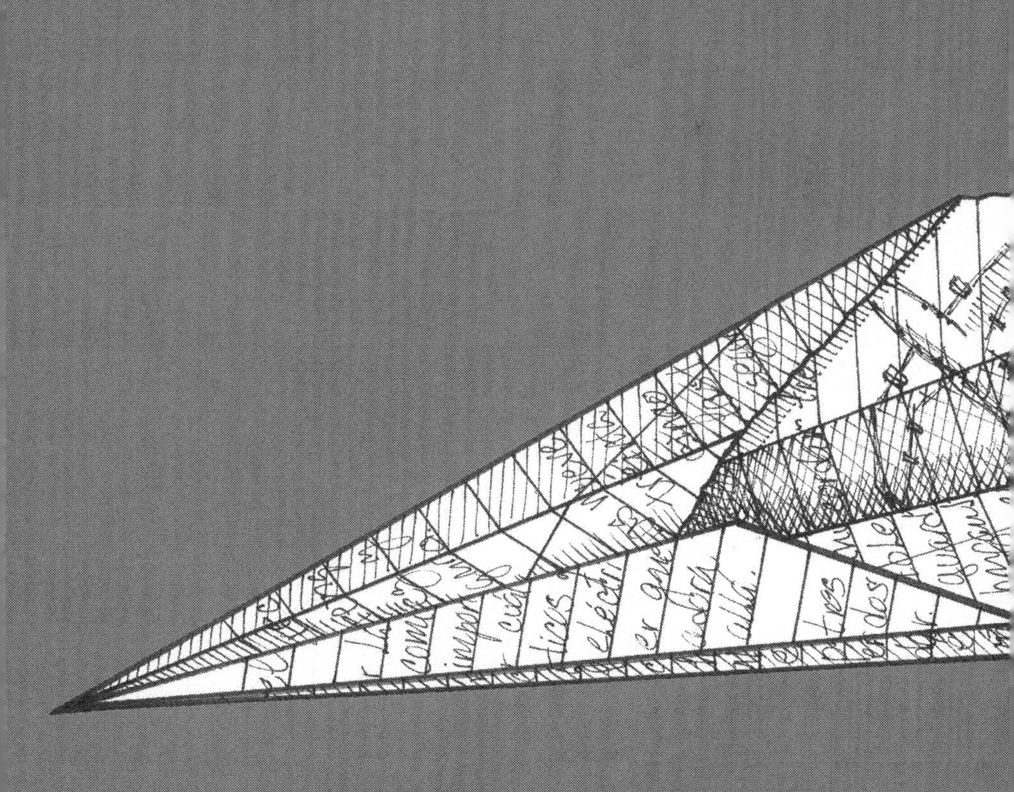

AGRIDULCE AVENTURA

ANÓNIMO 30

En los últimos años ya había empezado a sentir cierta inconformidad, la constante necesidad de cambiar, cambiar siempre... mi entorno, mis planes y mis proyectos. Siempre he sentido esa necesidad y ahora más que el entorno nacional, la sociedad desestructurada y la realidad son factores que nos llevan a sentir que se sobrevive. Tampoco tenía muchos planes, ya eran 48 los años de vida y a esta edad no es mucho lo que se puede cambiar, ya tenía una profesión y cierta estabilidad. No tenía nada que me atara a Venezuela, soltera, sin hijos y acompañada de una amargura muy mal disimulada. Decidí entonces ser una más de las que suma la excusa de la crisis para empezar desde cero o, al menos, eso pensé.

Inicié mi aventura el 27 de enero del 2014, salí muy temprano del interior del país y esperé todo el día en Maiquetía a que saliera mi vuelo con destino a Frankfurt y luego a Irlanda. Recuerdo que llegué un martes de día a Irlanda, pero solo pude ver el sol el jueves, entre nubes y por 20 minutos. A la tercera semana empezaron los rumores de que ya CADIVI[2] no iba a depositar más la manutención que inicialmente había aprobado para 12 meses... Euros que estábamos pagando con nuestro dinero.

Los estudiantes venezolanos seguían llegando al sitio que se había convertido en un destino muy sonado, atractivo y relativamente económico, donde nos permitían trabajar unas pocas horas a la semana y para lo que había que dominar muy bien el idioma, pero que no era el caso de la mayoría. Los que llegaron antes de mí ya estaban sin dinero, ya tenían retraso de un mes en su manutención, mientras veíamos por Twitter una Venezuela que estaba inmersa en protestas, cosa que sabía perfectamente porque no había momento en que no leyera las noticias y vie-

2. CADIVI: Acrónimo de Comisión de Administración de Divisas, actualmente Centro Nacional de Comercio Exterior o CENCOEX.

ra los vídeos de la represión contra las manifestaciones que me hacían llorar de dolor y rabia. Me informaban que reuniones iban y venían en Caracas en la sede de CADIVI con los familiares de todos esos chamos que ya vivían en Irlanda y reclamaban el depósito que previamente aprobaron. Vivía en una constante zozobra, ya empezaban a llegar lo correos donde CADIVI negaba la manutención de los meses por venir, sin dar explicaciones, solo aparecía: Solicitud negada. Fueron meses duros y veía, como decimos los venezolanos, "los toros desde la barrera". Sabía que mis amigos no tenían dinero ni para comer y yo no podía ayudarlos porque no sabía hasta cuándo me iba a alcanzar el mío, tal vez unas semanas más. Escuchaba de venezolanos que dormían en los parques porque no tenían dónde dormir... Fue en Dublín donde, por primera vez, vi a un venezolano perder peso por hambre, fue fuera de Venezuela donde empezó la apestosa "dieta de Maduro".

Se hacían muchas jornadas para recolectar comida, ropa y hasta un lugar en un sofá para ayudar a esos venezolanos que ya no tenían nada. Los mejores momentos eran cuando compartíamos casi siempre comiendo un chicken-baguette, lo que era el almuerzo normal para un estudiante venezolano por €2. Lo comí muchísimo, tanto que hoy en día no como milanesa de pollo, me recuerda el sabor amargo de esos días en los que eso era el plato fuerte.

Era un tanto singular que una mujer a mi edad estuviese buscando su destino en otras fronteras. Yo no aspiraba mucho, buscaba estabilidad, tal vez algún compañero de vida. Buscaba algo, no sabía con certeza qué. Buscaba darle sentido a mis días, algún objetivo que me elevara nuevamente. En mi país, los objetivos se convirtieron en polvo cósmico. Los sueños se tornaron cada vez más inalcanzables y exclusivos. Siendo sincera, no la pasé bien. Me di cuenta de que cambié unos problemas por otros. Cambié la inseguridad, la escasez, la desesperanza por una pobreza material incluso más acusada que la que empezaba a tener en mi país, por una soledad perturbadora e inclemente... por días grises. Conocí a mucha gente, conocí a los hijos que siempre quise tener, aprendí a compartir sin pensar cuánto me quedaba, aprendí a valorar mi vida, mi endeble y momentánea felicidad.

Hace 2 años que regresé a Venezuela, a mi edad el espíritu ya no es el mismo. No me quiero ir a ninguna parte, me quiero morir en mi país. Tal vez sea una opinión momentánea, pasajera. Es muy difícil quedarse en Venezuela pero también es muy difícil estar lejos. Creo que soy ejemplo de que no hay edad para aventurarse a buscar, no hay límites para atreverse a progresar cuando las barreras en Venezuela no nos dejan seguir... Yo intenté buscarlas en otros espacios. Seguiré luchando.

Comentario:

El abandono gubernamental a miles de jóvenes estudiantes en el extranjero durante el 2014 y el 2015 fue el inicio de una situación de crisis para muchas personas, podría decir que fue un abandono premeditado, planificado donde muchos salieron del país con la garantía de poder acceder a divisas internacionales para desarrollar estudios en otros países y fueron abandonados por la administración gubernamental. Meses después del inicio de la negativa a acceder a divisas, desde el gobierno informaron que los estudiantes venezolanos no eran una prioridad para la patria ante la inminente crisis económica que comenzaba a irrumpir en la sociedad venezolana. La situación en Irlanda fue particularmente crítica, muchos de esos jóvenes decidieron quedarse a pesar de las dificultades, muchos de ellos siguen pagando cursos anuales para poder permanecer legales en el país, muchos otros hoy son residentes con trabajos estables e integrados a una cultura muy distante de la nuestra.

Para muchos, regresar a Venezuela es una especie de "derrota personal", para otros, una derrota más que deseada, anhelada. Tenemos la idea de que irse representa conseguir el éxito... maldito éxito, cómo nos reduce la vida a tener o dejar de tener, a ser o dejar de ser, pero nos envicia como una droga suave que, desde pequeños, nos siembran en la comida sin que nos demos cuenta, crecemos nutridos de utopías y terminamos defecando realidades.

Kevin A. Quiroz Z. • 21 años • Nacido en Caracas, Distrito Capital • Actualmente en Guatire, estado Miranda • Artista, Ilustrador y Pintor • Instagram: @kevinquirozarte

UN MINUTO MÁS

ANÓNIMO 31

Algunas veces tan solo quisiera poder regresar el tiempo y dar ese último abrazo. Aunque fue un abrazo fuerte y lleno de sentimientos, de saber que sería el último lo habría hecho mucho más largo, habría dejado de lado el pensar que ya debía entrar por esa puerta, definitivamente pude haber entrado después... no hicieron falta esos minutos para abordar al avión.

Comentario:

Pareciera que la distancia confabula con los sentimientos cuando la ausencia se convierte, de alguna manera, en una constante presencia. El tiempo toma valor con cada kilómetro de distancia y un minuto más sí hace la diferencia.

Therliz Melanio Nava Romero • 20 años • Nacido en la Isla de Margarita, estado Nueva Esparta • Actualmente San Diego, estado Carabobo • Diseñador Gráfico • Instagram: @tnavart

ANÓNIMO 32

AÑEJA AÑORANZA

Venir a otro país para crecer profesionalmente fue mi prioridad hace 5 años. Hoy mi prioridad resulta ser otra, mi familia y mi país. No puedo culminar la parte más importante de mi tesis doctoral dado que no logro concentrarme al 100%. A mi correo me llegan notificaciones de Facebook, un mensaje, videos o experiencias de amigos sobre la tragedia que hoy acongoja a Venezuela y cuando hablo con mi hermano o mis papás me dicen que todo está bien para no preocuparme pero sé que no es así.

Es doloroso tener que ir al supermercado y pensar que tengo todo y en el país no hay nada, ir a la farmacia y pensar que hay todo y ellos no tienen nada; caminar por las calles tranquila y disfrutar un lindo paisaje sin tener que estar como un ventilador vigilante de que no llegue nadie a robarme como pasa hoy en todas partes de Venezuela. Con esta situación que vivo, a través de mi familia y amigos, me doy cuenta de que la gente y el mundo es indolente y, lamentablemente, hasta que no nos toca no creemos, ni siquiera en lo mal que lo pasan otros países como Siria, pueblos sin agua potable y hoy somos parte de esas estadísticas.

Parece que cayó una bomba atómica en Venezuela, pero no de esas que destruye lo que tiene a su paso, sino una que mata lentamente a toda una sociedad. Parece que es una pesadilla, parece que esto no terminará nunca hasta el punto, incluso, de pensar que lo mejor es irse del país. Pero no acepto que en pleno siglo XXI vivamos todo esto, una guerra sucia con una sociedad marchita y llena de hambre pero también llena de odio y de hacer daño al otro que es nuestro hermano. Hoy me siento abatida, sin fuerzas muchas veces, preguntándome cómo dejamos que esto pasara. Hoy en fiestas navideñas, los sentimientos y el pecho se aprisionan aún más lejos de mi gente, no queda otra que estar en contacto con ellos, pidiéndole a Dios que permita que Venezuela renazca nuevamente, que esa Venezuela que dejó de oler a pan de jamón y hallaca, que dejó de sonar a gaitas, vuelva a ser la tierra cálida, gentil y rica en valores... que esos recuerdos con los que vivimos quienes estamos en el extranjero regresen para tener la oportunidad de reencontrarnos en cada espacio recordado. Con esto aprendí que la vida va más allá de un título doctoral, va más allá de hacer dinero y tener una casa y un buen auto, aprendí que ni el dinero salva de tragedias como estas y que la conciencia es algo muy difícil de generar si no ha sido inculcada desde el hogar; que el amor al prójimo comienza en compartir con tu hermano, no traicionarlo, aprender a decir la verdad y a ser juzgado o castigado al no hacerlo; el ser ético y correcto y devolver hasta el último centavo que te sobró, porque esta es la gente que le hará bien a la sociedad y será el ejemplo para las siguientes generaciones.

Comentario:

El sentimiento que puede describir la actitud y posición de los venezolanos es indignación. La mejor garantía para que Venezuela tome vuelo nuevamente es su gente, son los valores que siguen tatuados en la personalidad. Estemos donde estemos, ese es nuestro tesoro, es nuestro antídoto a la ignorancia, la anarquía y la represión. Venezuela volverá a oler a hallacas, a sonar a gaitas, seremos espectadores de ese nuevo vuelo.

Eduardo Elías Quijada Eirin • 24 años • Nacido en Maiquetía, estado Vargas • Actualmente en Caracas, Distrito Capital • Ilustrador / Animador 3D / Concept Artist • Instagram: @eliaseirin

MI CARACAS

ANÓNIMO 33

Una semana antes de dejar el país, decidí viajar y visitar a todos mis amigos y familiares que viven en el interior, no fueron muchas paradas, ya que la mayoría de la gente que formaba parte de mi vida se había ido. Los abracé con fuerza, hicimos fotos, reímos. Decía mi mamá que cuando un día te ríes mucho, existe la posibilidad de que llores al día siguiente. Guardé 26 años de vida en dos maletas y unas cuantas fotos que perdí, ya que algún amigo de lo ajeno se encargó de llevarse mi celular.

El día del vuelo decidí ir solo al aeropuerto, no quería verles llorar, no quería ver en las caras de mis hermanas ese miedo de no saber si nos veríamos en cinco meses o en cinco años. Dejé todo atrás, todo lo que conocía, todo a lo que estaba acostumbrado y luego, al montarme en el avión, lloré. Lloré al saber que no volvería en mucho tiempo a mi hogar, a mi Venezuela, a la tierra de los sueños, el refugio de miles de personas alrededor del mundo que enfrentaba el éxodo más grande de la historia y ahora yo formaba parte de él. Hace año y medio de ese día, extrañando cada momento como sentarme en el jardín a hablar con mi perro, comerme una empanada en La Guaira, sentarme a leer un libro en los terrenos de la Universidad Central de Venezuela, incluso ir en el metro escuchando las historias que la gente contaba. Cómo extraño Caracas, cómo extraño las cosas pequeñas que el día a día me brindaba, esos atardeceres, la energía del Ávida, cada pequeña cosa de mi caótica ciudad. Caracas quería vivirte sin miedo. Saludos para todos desde Bélgica.

Comentario:

Hay un amor real que todo aquel que ha vivido en Caracas siente por esa ciudad. El caos, la anarquía y la delincuencia han sido razones necesarias para la fuga de tanto talento venezolano, pero no han sido suficientes para mitigar la magia que Caracas gene-

ra en los recuerdos de los que ahí vivieron. Hemos llegado incluso a enamorarnos del caos, el bullicio de la metrópolis que alberga a más de 2 millones de personas. Caracas tiene una densidad poblacional similar a la de Nueva York, unos 10.500 habitantes por km2, teniendo Nueva York cuatro veces la población que tiene Caracas. Ocupa el puesto de la segunda peor ciudad para vivir en América Latina, de acuerdo a la consultora Mercer que realiza un ranking de las ciudades que ofrecen la mayor calidad de vida y los mejores lugares para vivir, sin embargo el recuerdo de la Caracas vivible sigue albergado en la memoria de los caraqueños que anhelan regresar. Algún día, Caracas volverá a ser merecedora de los grandes títulos que ostentan las mejores ciudades del mundo, algún día el verdor y sus guacamayas volverán a ser el punto de mira con el cual millones retornen a vivir Caracas con tranquilidad, a caminar sus calles con la única preocupación de no perder de vista cada detalle que embellece el panorama.

Miguelángel Martínez-Ruetter • 39 años • Nacido en Caracas, Distrito Capital • Actualmente en Caracas • Artista Plástico • Instagram: @mruetter

ANSIEDAD DE EMIGRAR

ANÓNIMO 34

Mi historia comienza viviendo en España por tres años, especializándome en Psicoterapia. Durante ese tiempo pasaba seis meses allá y seis meses en Venezuela, por decisión propia. Recuerdo que podía quedarme y no regresar, ni durante esos tres años ni nunca más, pero en Venezuela había una energía inmensa que me llamaba, era su vibra o esa energía especial que tiene nuestro país y, en consecuencia, NOSOTROS. Recuerdo que mis compañeros de clase de varios países me preguntaban a mí y a otros venezolanos si habíamos estudiado en universidades especializadas en el desarrollo de nuestros talentos para la expresión y el análisis. ¡Era la energía... nuestro don de gente!

Al terminar mis estudios allá me vi en la durísima posición de tener que decidir qué hacer con mi vida y escogí regresar a Venezuela. Era el año 2013 y tenía muchísimas esperanzas tanto de ejercer mi carrera libremente como de hacerme una vida con ella en la tierra donde me sentía natural y, a la vez, pionera porque era mucho lo que había ganado en aquellas tierras españolas, ¡Dios bendiga a Barcelona! Decidí regresar porque un día supe que nunca estaría del todo segura de mis logros y sueños si no intentaba darlo TODO primero en mi país, que me necesitaba mucho y yo a él (aunque Venezuela siempre será mujer para nosotros, Ella).

Transcurrieron cuatro años y fue bastante lo que hice y viví como profesional y como persona. No puedo evitar pensar en la pureza de las relaciones que he vivido en Venezuela, amigos de infancia, amigos de trabajo, amigos de fiesta, amigos de sangre, amigos de calle. Es lo más bello que Venezuela pudo darme y, a pesar de haberme ido de nuevo, los llevo sembrados en mis adentros.

Ahora me mudé a Miami y me casé con mi esposo, a quien conocí durante esos cuatro años en Venezuela. Decidimos venirnos por la lista de razones que suenan como un disco rayado en las paredes de las cabezas aturdidas de tantos. Y las historias aquí siguen ocurriendo, con otro matiz pero ocurren, sobre todo internamente.

Dentro de mí, en mis apenas nueve meses sembrándome en este lugar, se ha movido un tornado de emociones que apenas conocía. He descubierto tanto luces como sombras de mí misma y de la vida. Descubrí, por ejemplo, que podía escribir un ensayo sobre cómo la edad te hace vivir las emociones con diferentes tonalidades. Digo esto porque cuando estaba en Barcelona, con 23 años, mi mayor ansiedad era no tener a mi madre cerca para que me dijera qué hacer en mis ratos libres. Hoy mi ansiedad se aloja en la incertidumbre del tiempo. ¡Un tiempo que, al decidir irme a vivir fuera de Venezuela, se convirtió en un reloj de arena!

Resulta que ahora siento que si tuve el valor de dejar Venezuela ¡puedo hacer lo que sea! Y el tiempo no alcanza para todo lo posible. Para mí era IMPOSIBLE desconectarme de Venezuela y hacer una vida lejos. Era imposible decidir IRME A VIVIR a los Estados Unidos y pedir un asilo para no regresar ¡en 10 años mínimo! Yo era la persona que cuando venía de visita le decía a mis amigos: "Yo no sé si podría hacer eso que tú hiciste". Venezuela para mí era la tierra que nutría mis entrañas y donde todas mis proyecciones y caminos estaban dibujados, porque lo natural era crecer y sembrar frutos allá. Esa era yo.

Y aquí puedo escribir una centésima de razones por las cuales eso era así y también otra centésima por las cuales me fui, pero lo que hoy quiero escribir aquí es esa valentía para enfrentar lo imposible y hacerlo posible... y el por qué los granos de arena se han vuelto mis gotas de ansiedad. Ansiedad por hacer que valga la pena haber dejado atrás tanto y aprovechar cada oportunidad para lograr lo que quiero, aunque no haya podido hacerlo de la manera que esperé. Esto ha sido un andar despiadado por los rincones de mis emociones y mis pensamientos pero, poquito a poquito, he ido aprendiendo a manejar mi ansiedad haciendo las paces con ella de a ratos, seguramente dentro de otro tanto nos volveremos a pelear. Pero reconocer la ansiedad, el miedo, las inseguridades y, en última instancia, las tristezas es lo más humano que todos podemos hacer en estas circunstancias. Lo merecemos, al fin y al cabo, Venezuela nos parió emotivos y cercanos. Es un acto de amor con uno mismo reconocer que esto es duro pero que no lo es todo, que el bendito dicho "un día a la vez" y el "poco a poco" son frases de la vida real. Y que la fe realmente "mueve montañas".

En mis lunas de miel con mi ansiedad, la utilizo para luchar más, para vencer mis inseguridades y realmente cobrarle a la vida la carísima inversión que hice al dejar Venezuela, porque tiene que pagármela. La rebusco, la camino, la observo, la disfruto, la cuestiono, ¡es lo que hago con la vida! Pero es más que todo porque soy una Psicóloga hambrienta de hacer su oficio.

De forma más general, soy partidaria de que todos los que nos vamos tenemos que cobrarle a la vida el haber dejado Venezuela. Cobrarle cada una de las comidas en familia, las echaderas de cuento en cada espera y las risas únicas por chistes doble sentido que dejamos... Cobrarle que nuestros hijos no corran en sus verdes ni que acaricien las manos arrugadas de sus abuelos. Cobrárselo diseñando nuevos caminos por un mismo fin, con fe en la vida. Y es que para dejar Venezuela se necesita coraje, valentía y fe en tantas cosas. ¡Ella los merece!

Comentario:

Durante el tiempo que tengo viviendo fuera de Venezuela, se ha multiplicado mi valentía, he dividido mis temores y he restado peso a las cosas que no lo merecen. Se multiplicó mi ansiedad como la de muchos, ansiedad por sentir que el tiempo implacable no nos haga una jugada malvada y, en algún momento, darnos cuenta de que no valió la pena. Es un temor natural, estamos formados para el confort y todo aquello que lo amenace juega una partida de ajedrez con nuestros miedos, eso es ansiedad. Ansiedad por impaciencia, ansiedad por desapego familiar, ansiedad por culpa.

Tenemos que aprender a ganarle la partida, que esta se convierta en el combustible sutil, pero constante, que nos recuerde, cada día, que nuestro esfuerzo debe ser multiplicado porque estamos empezando desde cero en otras circunstancias, en otras condiciones. Imaginar que, del otro lado de la mesa, están los temores y de este lado estamos nosotros, así que hagamos jugadas pensadas, con tiempo y muy estratégicas como en el ajedrez.

Arianna León Uberti • 27 años • Nacida en Caracas pero criada en Maracay, 100% maracayera • Ilustradora • Instagram: @ariuberti

UN CUATRO EN NUEVA YORK

ANÓNIMO 35

Tengo 10 meses viviendo en Nueva York, por ahora sigo pensando que esta será mi ciudad por un largo tiempo. De no ser así, la siguiente ciudad que elegiría para vivir sería Cumaná, de donde vengo.

Mi historia es algo particular, si hay un venezolano que hubiese pensado en emigrar hace unos años, ese no sería yo. Todo lo que soy y lo que hago está atado a mi venezolanidad. Descubrí en la música la satisfacción personal, luego descubrí en el cuatro la pasión que hoy me mueve, incluso la misma pasión que me trajo a Nueva York.

Mi esposa, el cuatro y yo somos un trío inseparable. Desde hace años mi trabajo va ligado a nuestra música, a introducir este desconocido instrumento en el mundo musical internacional, colarlo como se cuela un grano de arroz en el tazón indicado y ha dado resultados increíbles: La mezcla del jazz, rock y otros géneros con un cuatro de fondo entre sus instrumentos.

No voy a detallar lo que me movió hasta esta ciudad caótica, las razones genéricas son las mismas que todos comentamos, aunque hay una razón en particular por la cual Nueva York es ahora mi hogar. Es una ciudad multicultural, abierta a nuevas experiencias, a nuevos géneros musicales, donde aquel que no es venezolano y acude a un concierto, en donde el cuatro es el anfitrión, queda asombrado del sonido particular que adiciona. Muchos me comentan que jamás se imaginaron que algo sonara como suena el cuatro. Esto me ha permitido presentarme con muchos grupos musicales que tocan música tradicional americana desde jazz, rock, entre otros, donde la fusión del cuatro es el centro de atención de cada evento. Estoy dando clases particulares de cuatro en mi casa a hijos de venezolanos nacidos en los Estados Unidos y clases online a chamos en todas partes del mundo.

Creo que puedo ubicar un momento en el cual todo esto comenzó. Estaba de espectador en un concierto de jazz, en medio del descanso de la banda, me acerco a la tarima y le pregunto al bajista si podía tocar la misma canción que tocaba en ese momento de práctica. Me subí a la tarima y empezamos a tocar al unísono aquella canción, la gente comenzó a acercarse intrigada por aquel sonido diferente, se acercaron los cantantes y el guitarrista y empezamos todos a tocar, tuve que improvisar en algunos momentos pero el resultado fue magia pura. Desde ese día toco con ellos en varios sitios de la ciudad como invitado y me ha abierto las puertas a ser un embajador más de nuestra música. Sigue siendo muy difícil empezar con algún género desconocido y nuevo, aquí soy prácticamente el único que se dedica a dar a conocer el cuatro como instrumento revelación en esta ciudad donde todos están sedientos de cosas nuevas.

Hasta aquí todo parece perfecto y, en algunos momentos, esa perfección parecía ser duradera, pero la realidad es que no escapamos de las adversidades cotidianas de cualquier emigrante. Económicamente mi trabajo no es un ingreso que nos permita vivir, por lo menos no ahora. Me ha tocado pedir dinero prestado a amigos, son momentos donde la cara se me cae de la vergüenza pero he tenido que afrontarlo con madurez, entendiendo que somos miles los que pasamos por esto.

Yo sigo enfocado en que el cuatro debe ser un instrumento internacionalizado, que tiene grandes oportunidades de ser parte de las fusiones musicales más interesantes. Yo sigo orgulloso de poder ser parte de ese resurgir de uno de nuestros instrumentos más característicos. Los venezolanos nos hemos convertido en emigrantes expertos, pero más es la experiencia que como embajadores le estamos regalando al mundo. Tenemos infinitas cosas que enseñar a los demás sobre nuestro país, algunos lo logran con su carrera, otros con sus éxitos, algunos simplemente siendo personas honradas que contribuyen a cualquier sociedad. Yo siento que soy un venezolano más que lucha por su familia y por salir adelante, lo hago con un cuatro en las manos y con pasión por lo que me mueve.

Comentario:

Ver a Venezuela en todos lados, me recuerda a aquel premio que otorgan al artista "revelación" del año. Aquel que de la nada, con un buen tema musical, logra dominar las listas más demandadas. Venezuela es un artista revelación en el mundo de hoy. Todo aquel que ha descubierto la explosión de sabor en una hallaca, todo aquel que ha aprendido a imitar nuestro acento inimitable, el que se ha enamorado de nuestra lucha, los que han visto nuestros paisajes, los que se han contagiado de nuestro vigor y ahora los que escuchan nuestro cuatro en Nueva York, hacen de Venezuela un país revelación para el mundo.

Miguelángel Martínez-Ruetter • 39 años • Nacido en Caracas, Distrito Capital • Actualmente en Caracas • Artista Plástico • Instagram: @mruetter

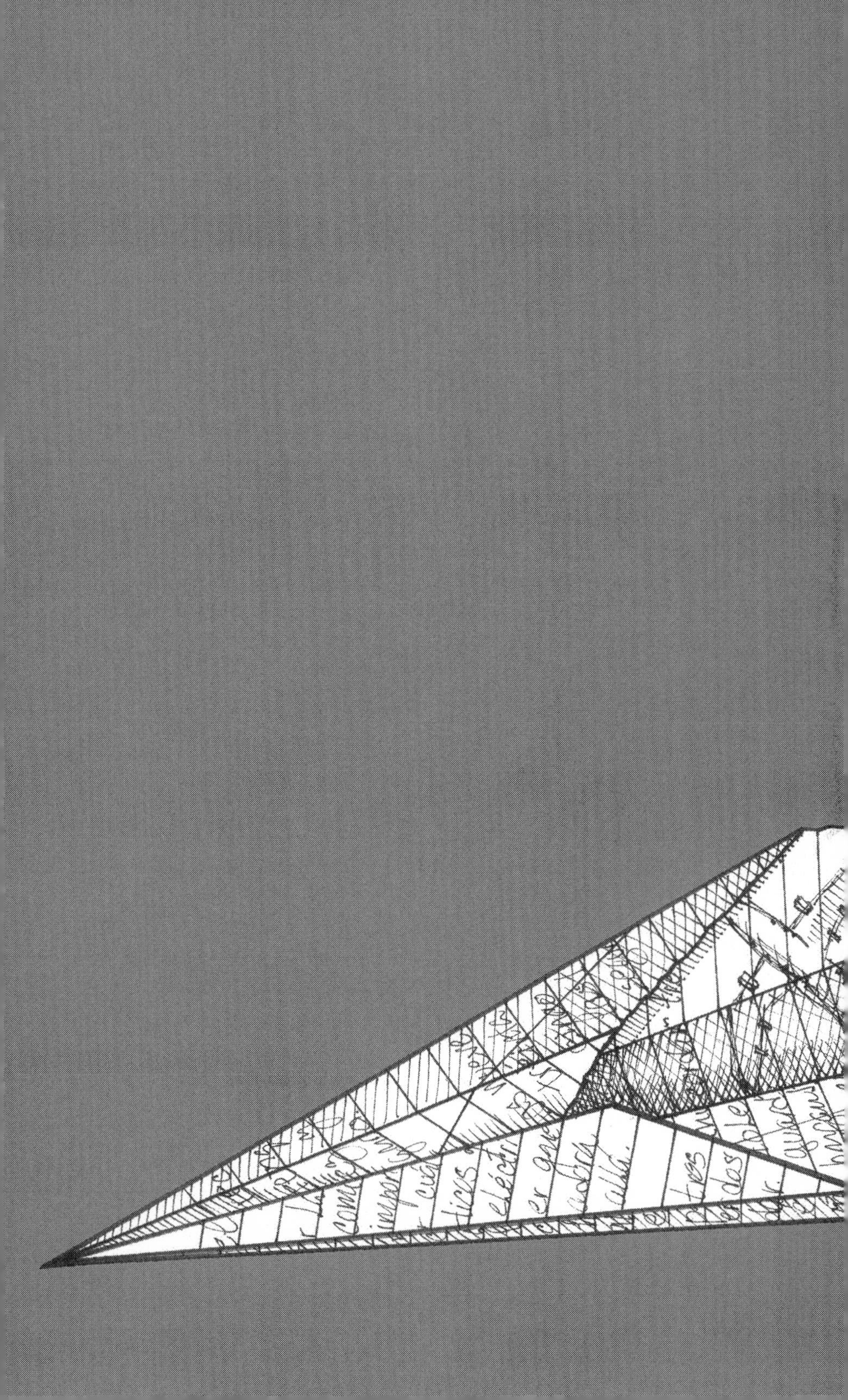

EPÍLOGO

Desde que este proyecto comenzó, una noche en Las Palmas de Gran Canaria, conversando con amigos venezolanos en todo el mundo, hasta materializarlo con este libro han cambiado muchas cosas. Tal vez no ha cambiado lo que más deseamos todos que cambie, pero ciertamente el proyecto Relatos Venezuela se convirtió para muchos en una terapia de confesiones, en un espacio donde lo más humano de nosotros se encuentra, sin temores ni orgullos, relatando muchas de nuestras verdades.

No puedo describir como autor de este proyecto la experiencia fascinante e intrigante de conocer cientos de historias de personas desconocidas, sin rostro, sin nombre, conocer sus vidas a detalle que, incluso, muy pocos a su alrededor conocen. Espero que el lector haya podido, como lo hice yo, jugar con la imaginación y apoderarse de cada personaje, hacer de cada historia un *dejavú* de alguna experiencia propia o de terceros y aprender lo que cada una nos ofrece.

Seleccionar los relatos más representativos fue un trabajo largo y difícil, cada historia tenía un toque personal, cada escrito provenía de algún valiente en algún lado del planeta que entendió que una de las batallas más duras de librar es aquella que vincula los kilómetros de distancia de nuestro espacio natural con los sueños queriendo ser alcanzados. De muchos aprendimos que la felicidad se torna simple de alcanzar cuando entendemos la vida con la misma simpleza.

Poder trabajar de la mano de los mejores ilustradores para hacer de cada relato un arte que aspira perdurar para la posteridad fue un lujo absoluto. Un relato de miles de palabras que se reduce a unas pocas líneas y colores que lograron representar, con una sola mirada, lo que todos habían querido expresar... eso es arte.

Una de las cosas que más quisiera que se llevara el lector es que no se puede entender y opinar sobre la realidad del vecino mirando a su casa a través del recuadro que permite tu ventana. Los límites de tu ventana solo ofrecen un ángulo, un momento exacto en el que tu vecino posa en dirección a tu mirada curiosa, el instante fotográfico en el que aparece y vuelve a desaparecer. Todo lo que ocurre fuera del ángulo que permite tu ventana también es una historia, también ocurre aunque no la conozcas, aunque tu ventana no permita mirarla.

Es un hecho que hoy los venezolanos somos y estamos en cada esquina del planeta con objetivos claros. Hoy nuestra cultura, nuestra comida, nuestro acento es reconocido en espacios del mundo que jamás pensamos y Venezuela se ha internacionalizado, no de la mejor manera, no por ser un país pujante pero sí por su gente, gente inconforme con la vida que ese sistema político trasnochado y fracasado ha aspirado al gobernar nuestras vidas y nuestras decisiones. Millones de personas hemos llegado a sentir la ausencia de la patria, la ausencia maternal que, poco a poco, se torna cada vez más una realidad más tolerable y aceptable. Que sepan los culpables, la gangrena, los asesinos de sueños, los de cuello y polvos blancos, el cáncer de mi país, que estos millones de luchadores vamos a volver con la consciencia y la lección que dan los golpes y el sudor del trabajo bien realizado. Vamos a volver amando como nunca habíamos a amado a nuestro país, vamos a recorrer nuevamente cada rincón, bañarnos en cada playa, a conocer cada pequeño espacio que, desde la distancia, decidimos hacer aún más nuestros.

Van a volver venezolanos a su tierra, hijos de venezolanos nacidos en otros espacios, profesionales formados, bilingües, trilingües, van a volver con la experiencia de vivir en sociedades con más kilometraje que la nuestra; volverán amando nuestro clima, regresarán los que descubrieron que, habiendo playas hermosas en el mundo, las del Caribe no se comparan. Regresarán los decepcionados, los exitosos, los emprendedores que quieren aportar al país y que han logrado crecer en el exterior. Volverán los médicos a recuperar su espacio en la sociedad, a servir en los hospitales de siempre, ingenieros, abogados, profesores. Volverán matrimonios de otras culturas, volverán las empresas y el empleo, Venezuela será nuevamente el país de los sueños para ciudadanos de todo el mundo, regresarán más tolerantes y empáticos, entendiendo que a la diversidad se le debe respeto pues ya han sido parte de la diversidad en otros países. El que se quiera ir tendrá la opción pero jamás volverá a ser una obligación, nunca más una medida de supervivencia. Los venezolanos exigiremos mejores gobernantes y comprenderemos, de una vez por todas, que la pasión y la política no deben jugar en el mismo equipo, que la cordura y la sensatez deben imperar al elegir a quien nos represente. No solo el que se ha ido va a regresar, los otros 27 millones también van a regresar, va a regresar su esperanza, su optimismo, van a volver a ver los sueños que huyeron. La obra de Cruz Diez va quedar para la historia como el símbolo del exiliado y como el símbolo del retornado.

Permítanme soñar, permítanme liberar el país que en mi mente vive y se cultiva, permítanme jugar con la posibilidad y hacer de las ideas un deseo que no dejará paz en nosotros hasta lograr lo que aspiramos los venezolanos de bien. Permítanme dejar volar mis aspiraciones y hacer de ellas las aspiraciones de muchos, déjenme amar lo que tanto me ha dado y tanto quiero regresar. No hay adversidad lo suficientemente grande para derrumbar las ganas de vivir mejor, que quede claro que el país se lleva en el alma, que el patriota no limita su pasión por su país dependiendo de las fronteras que lo cobijen, el país se construye donde sea, se construye con cada logro individual, con cada alegría y aspiración alcanzada, por muy pequeña que sea, por muy lejos que se esté.

Gracias por ser cómplices de este sueño que, más temprano que tarde y con el aporte de todos, se hará realidad: ¡Una mejor Venezuela!

DANIEL MOUHTAR

ÍNDICE

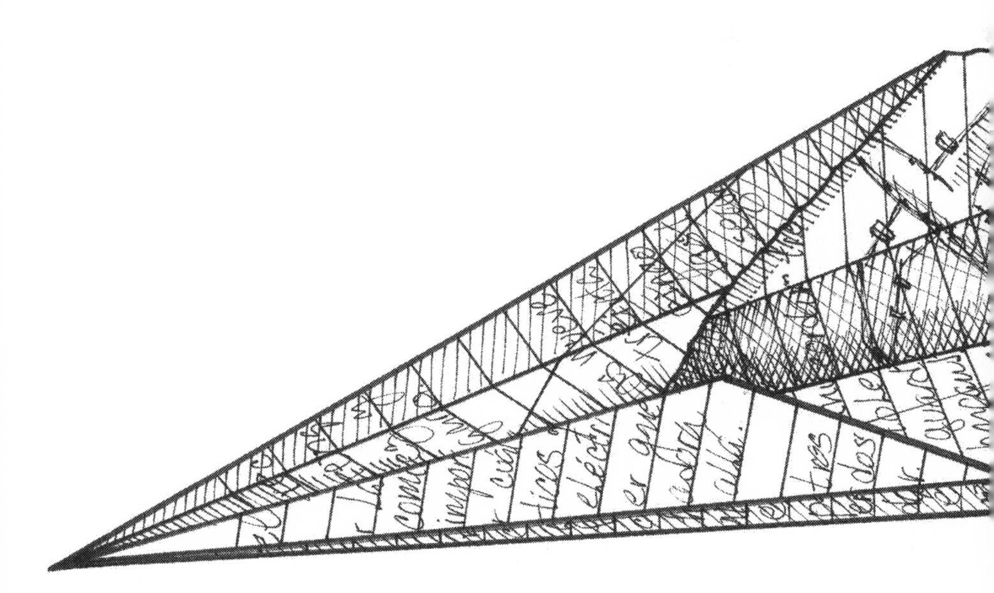

Esta edición se terminó de imprimir
en el mes de agosto de 2017 en España

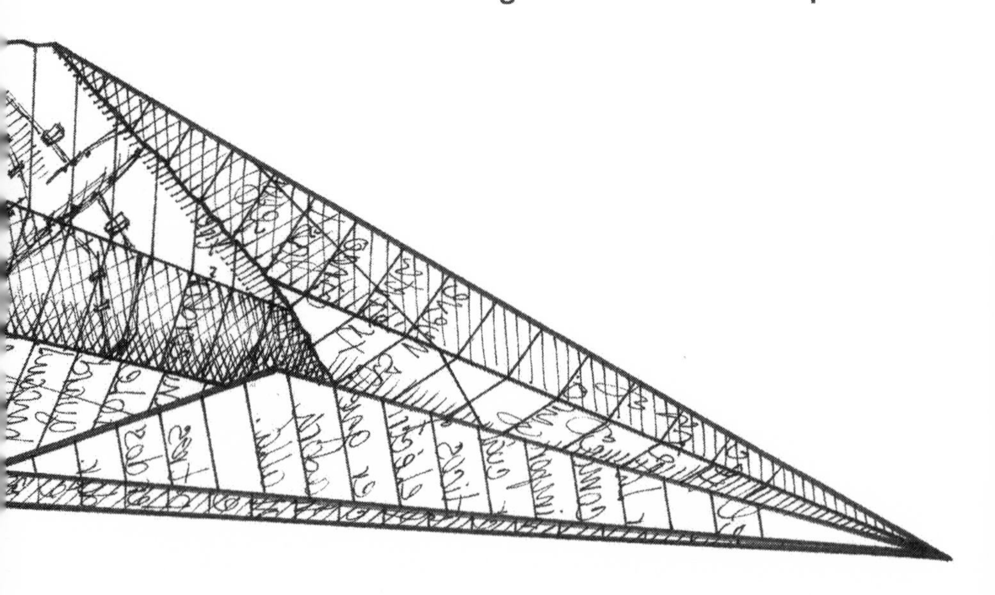

Made in the USA
Middletown, DE
28 September 2019